PLANTES MÉDICINALES ET AROMATIQUES
DE NOS JARDINS

COLLECTION
JARDINS D'AUJOURD'HUI

PLANTES MÉDICINALES ET AROMATIQUES

DE NOS JARDINS

ODETTE LACASSE

Directeur de la collection
Michel Fontaine

ÉDITIONS
BROQUET INC

C.P. 310 Laprairie, Qué, Canada,. J5R 3Y3

Données de catalogage avant publication

Lacasse, Odette, 1950-

Plantes médicinales et aromatiques de nos jardins

(Jardins d'aujourd'hui)
Comprend des réf. bibliogr. et un index.

ISBN 2-89000-378-7

1. Plantes médicinales - Québec (Province). 2. Plantes aromatiques - Québec Province). I. Titre. II. Collection : Jardins d'aujourd'hui (La Prairie, Québec).

SB294.C3L32 1994   633.8'8'09714   C94-940488-8

Nous tenons à remercier la section des livres rares de la Bibliothèque des Lettres et des Sciences Humaines du Pavillon Samuel Bronfman de l'Université de Montréal pour nous avoir si chaleureusement assisté dans notre recherche iconographique et de nous avoir permis de photographier les gravures, qui illustrent ce travail, extraites des livres suivants:

-Daléchamps (Jacques), Des Moulins (Jean). **HISTOIRE GÉNÉRALE DES PLANTES** tomes I & II, Lyon 1615, Les Héritiers de G. Rouillé.

-Des Moulins (Jean) mis en français par. **COMMENTAIRES DE M. PIERRE-ANDRÉ MATTHIOLE...SUR LES SIX LIVRES DE MATIÈRES MÉDICALES DIOSCORIDE.** Lyon 1567, G. Rouillé.

Révision : Louise Rose

Photographies : Louise Degrosbois

Infographie : Antoine Broquet

Copyright © Ottawa 1994
Éditions Marcel Broquet Inc.
Dépôt légal - Bibliothèque nationale du Québec
1er trimestre 1994

ISBN 2-89000-378-7

À Antoine et Laura

TABLE DES MATIÈRES

INTRODUCTION

Tant de choses ont été dites et écrites sur les plantes aromatiques et médicinales, qu'il me semble que leur histoire véritable nous glisse entre les doigts. Il est vrai que celle-ci remonte aux premiers temps de l'humanité et l'a accompagnée jusqu'à aujourd'hui. Tout au long de ce parcours, ces plantes ont fourni les aliments, les vêtements, le soulagement des souffrances et la guérison des maux, la matière cosmétique et bien d'autres choses. Elles demeureront encore longtemps bouquets d'odeur, de beauté et de saveur, et ornements de nos jardins, de nos demeures et de nos plats préférés. Mais qu'apportent-elles de plus à notre monde moderne que nous ne connaissions déjà à travers cet amas de documents, de publications, d'herbiers et de classifications expertes? À présent, notre expérience des plantes aromatiques et médicinales, tout comme celle que nous entretenons avec l'ensemble des éléments naturels, se distingue de l'expérience des hommes et des femmes du Moyen Âge ou de la Renaissance. Nous la renouvelons sans cesse, débarrassée de ses superstitieuses contraintes, enrichie de la connaissance scientifique et adaptée à l'état actuel du monde. Mais détrompons-nous, comme l'écrivait Christof Tobler, ami de Gœthe, en 1752, dans son *Hymne à la nature* : « Éternellement, elle (la nature) crée des formes nouvelles; ce qui est jamais ne fut, ce qui fut jamais ne revient – tout est neuf, et pourtant toujours vieux. Nous vivons en son sein, mais à elle étrangers. Sans relâche elle nous parle, et ne livre pas son secret. Constamment nous agissons sur elle, et n'avons cependant sur elle aucun pouvoir.[1]»

D'abord attiré par la beauté de leurs fleurs ou le charme évocateur de leur nom, vous vivrez bientôt dans la culture et la cueillette des plantes aromatiques et médicinales, au-delà d'une simple admiration romantique pour la nature, une véritable expérience esthétique. Pour peu qu'on s'y intéresse, elles nous révéleront l'histoire d'humains décidés à survivre et les récits des débats philosophiques qui ont dicté leur conduite; elles nous remémoreront les us et coutumes de nos ancêtres les plus lointains, et nous réapprendront des paroles et des gestes immémoriaux. Dans la beauté de chaque fleur qui se dressera dans votre jardin, vous lirez l'histoire du monde et réfléchirez à son avenir. Chaque fleur renfermera alors à vos yeux le véritable sens de la beauté contenue dans la fusion de son essence et de son apparence.

La joie que procure la proximité des plantes est difficile à décrire, très personnelle et toujours exaltante. Réapprendre à concocter un remède pour ses enfants, embaumer la maison d'odeurs pures, accrocher ici et là quelques bouquets de fleurs sauvages, s'imprégner de l'odeur de la terre fraîche, tout cela, elles vous l'offrent comme un cadeau.

Plus encore que les plantes aromatiques, les plantes médicinales ont perdu, il est vrai, la faveur populaire dans l'ornementation des jardins : la beauté de leurs fleurs étant décriée au profit de l'exotisme des variétés dites plus ornementales et, leurs vertus ridiculisées. Les plantes subissent – elles aussi – les caprices de la mode, mais on ne pourra jamais renier la grâce de la mauve, l'élégance de la digitale, l'éclat de la tanaisie ou encore les splendeurs du rosier sauvage, tout comme il nous faudra admettre le charme de leur association avec d'autres plantes ou l'aspect classique qu'elles confèrent au jardin. Si elles ont agrémenté les jardins des princes et des rois, exhalé leur bouquet dans les bains et les parfums des plus belles femmes du monde, soigné et guéri des millions d'êtres humains, inspiré les plus grands artistes et philosophes de

1. Bibeau, Paul-Henri. «De l'école de Chartres au gœtheanisme», dans *Triades*, Paris, automne 81, pages 16 à 30.

notre histoire, n'ayez crainte, elles vous réservent encore bien des surprises !

Le présent ouvrage a été écrit pour votre plaisir et pour satisfaire votre curiosité. Il relate certains événements relatifs à l'histoire des plantes, des anecdotes; il partage des recettes anciennes et modernes, des méthodes culturales et il dévoile quelques astuces de jardinage. Nous y avons réuni les informations les plus simples quant aux usages médicinaux et nous avons privilégié celles qui ne présentent aucun danger pour l'usage domestique. Lorsque cela était nécessaire, nous avons énoncé les contre-indications de façon très claire. Nous avons également décrit quelques usages culinaires et cosmétiques et mentionné quelques associations esthétiques et ornementales de plantes. Mais rien ne vaut les expériences personnelles, les essais, les erreurs, les audaces et les excentricités ! Vous pourrez, à votre gré, les cultiver de manière traditionnelle, ou vous inspirer des tableaux de Dürer, de Monet ou même de Klee ! Beaucoup d'autres choses pourraient être dites sur le sujet. Nous espérons à tout le moins susciter ici votre intérêt et être à l'origine d'une passion naissante. La beauté des plantes aromatiques et médicinales vous est offerte tout autant que leurs vertus et ne demandent qu'à être redécouvertes.

PLANTES MÉDICINALES

Achillée millefeuille *(Achillea millefolium)*

ACHILLÉE MILLEFEUILLE

Achillea millefolium

Famille : Composées.

Noms populaires : grassette, herbe-à-dinde, herbe à la couture, herbe aux charpentiers, herbe aux coupures, herbe aux militaires, saigne nez, sourcil de Vénus.

Hauteur : 30 à 70 cm.

Étalement : 30 cm.

Floraison : juin à août.

Parties utilisées : la plante entière.

Propriétés : antispasmodique, diurétique, emménagogue, fébrifuge, hémostatique, tonique, vermifuge.

Historique : L'Achillée millefeuille se retrouve dans la plupart des régions du Québec. Échappée des jardins, elle s'est propagée et croît à l'état sauvage en bordure des routes, dans les champs en friche ou encore dans les anciens pâturages. Extrêmement populaire au Québec, elle est connue de tous, si ce n'est de nom, du moins par son apparence. Elle aurait été utilisée en médecine populaire dès le début de la colonie. Dès les temps les plus anciens, l'achillée fut associée à la guérison des blessures de toutes sortes. Aphrodite la première la conseilla à Achille pour calmer la douleur de sa blessure infligée par la flèche de Pâris; elle lui tendit la plante et lui conseilla de la broyer pour en extraire les sucs avant d'en faire un cataplasme. C'est ainsi que l'achillée fut appelée par les Anciens, «Herba militaris». Faute de médicaments, elle fut largement utilisée sur les champs de bataille durant la Première Guerre mondiale.

Au Moyen Âge, on la plaçait à l'entrée des jardins dans le but d'en éloigner les mauvais esprits.

Plante fétiche des sorciers et des devins, l'achillée se trouve fréquemment associée aux pratiques divinatoires et incantatoires les plus diverses. Autrefois, par exemple, une petite pochette remplie d'achillée devait être déposée sous l'oreiller avant de se mettre au lit. Puis l'incantation suivante répétée à trois reprises devait, au réveil, favoriser la révélation de l'identité du futur époux.

Toi, gentille herbe de l'arbre de Vénus,
Ton vrai nom est Achillée;
Qui sera mon amoureux
Je t'en prie, dis-le-moi demain.[1]
(Rimes populaires de Halliwell)

Culture : L'Achillée millefeuille supporte mal les interventions inopportunes et effrénées de jardiniers trop zélés; elle préfère siéger librement au milieu des campanules, des aconites, des livèches ou encore des *Ligularia punctata*. L'achillée se propage facilement par division de la racine à partir d'un plant mère et se contente d'un sol pauvre. La plante s'accommode aisément de la sécheresse, mais il en va tout autrement si le sol regorge d'humidité. Des apports annuels modérés de poudre d'os favoriseront sa croissance.

Il existe plusieurs variétés d'achillée et la plupart ont un feuillage d'un beau vert légèrement grisâtre, finement dentelé, qui demeure intéressant tout au long de la saison. Parmi celles-ci, seule l'*Achillea millefolium* possède véritablement des propriétés médicinales. Ses inflorescences blanches en forme de corymbes aplatis s'épanouissent de juillet à août et s'associent bien aux variétés horticoles de différentes couleurs, telles que Cerise Queen de couleur rouge cerise et à *Achillea filipendula*, de couleur jaune vif qui, après séchage, entre dans la composition des bouquets d'hiver. L'Achillée millefeuille est très belle à l'arrière-plan ou au milieu d'une plate-bande. La variété rouge possède peu de qualités médicinales, mais l'éclat de sa couleur lui vaut tout de même une place de choix dans nos jardins.

Récolte : On choisira les plants les plus sains qui arborent les plus belles inflorescences, exemptes de taches ou de traces d'impuretés. Lors de vos prélévements, évitez d'endommager les racines, cela compromettrait la viabilité du plant. Faites sécher les petits bouquets d'achillée en les suspendant dans un endroit sombre et

1. Rimes populaires de Halliwell. Extrait tiré de *A Modern Herbal*, de M. Grieve.

bien aéré; après dessiccation complète, la plante se conserve tout l'hiver dans un contenant de verre hermétiquement fermé.

Usages internes : L'achillée est une aide précieuse dans tous les cas de fièvres reliées aux grippes, rhumes et congestions en général puisqu'elle favorise la sudation et l'évacuation des toxines. À raison de trois à quatre infusions par jour faites avec les sommités fleuries servies bien chaudes, elle aide à contrôler et à réduire la fièvre sans en entraver les bénéfices. Cette même infusion pourra également servir en lavage ou être utilisée en compresses chaudes dans les cas d'irritations cutanées comme la dermatose ou encore l'eczéma.

Dans bien des cas, l'absorption de trois tasses par jour de cette potion régularise assez bien les menstruations. Dans le bain, une décoction de la plante entière d'Achillée millefeuille est relaxante et tout à fait indiquée dans les cas de grande fatigue.

On fabrique un sirop d'Achillée millefeuille en employant environ 100 grammes de feuilles fraîches dans 1 200 grammes de sucre et 600 grammes d'eau que l'on fait réduire à feu doux jusqu'à consistance de sirop. Veillez à ne pas dépasser la dose quotidienne d'une à deux cuillerées à café.

Usages externes : Pour contrer la chute des cheveux, rincez la chevelure le plus souvent possible avec une décoction faite d'une poignée de la plante entière que vous aurez fait bouillir 10 minutes dans un litre d'eau. Pour arrêter les saignements, appliquez le suc des feuilles directement sur les blessures.

Sur les ulcères de jambes, appliquez une compresse chaude imbibée du suc de la plante fraîche deux fois par jour; si possible gardez le pansement toute la nuit enveloppé dans une bande de plastique afin d'en conserver l'humidité. L'onguent fait avec la plante entière est aussi très efficace pour soulager les hémorroïdes.

Bain pour favoriser la sudation : Ce bain, qui ne doit cependant être pris qu'une seule fois par 15 jours, nettoie le corps des toxines accumulées et active le système lymphatique.

Ajoutez à l'eau du bain :
1 tasse (250 ml) de sel de mer
1/2 tasse (125 ml) de bicarbonate de sodium
1 litre d'infusion d'Achillée millefeuille
Allongez-vous dans l'eau très chaude une vingtaine de minutes. À la sortie du bain, enveloppez-vous sans vous sécher dans votre peignoir ou enroulez-vous dans une couverture. Ici, il convient de suivre à la lettre les mêmes indications telles que décrites pour la camomille, sous **usages externes** (p.46).

Onguent *:* L'onguent se prépare avec une partie de suc de la plante fraîchement obtenu par trituration et une partie d'huile d'olive et de cire d'abeille. À conserver à l'abri de la lumière dans un contenant stérilisé au préalable et qui ferme hermétiquement. On peut remplacer l'huile d'olive par du beurre non salé et ajouter des feuilles de framboisiers. Dans ce cas, il faut conserver l'onguent au réfrigérateur.

Suc frais *:* Le suc frais s'obtient par trituration de la plante entière dont on exprime le jus à travers un linge; la substance ainsi extraite est particulièrement efficace contre les saignements de nez. Avec les feuilles triturées, on peut aussi fabriquer de petites boules qu'on insère dans la narine. À la portée de tous, la mastication des feuilles fraîches est excellente pour soulager les rages de dents.

Teinture *:* Macération solaire d'une durée de 15 et 20 jours, dans un alcool à 40 p. 100 (vodka, whisky ou autre).

Contre-indication : Cessez les applications à la moindre apparition de rougeurs.

Usage culinaire : Au XVIIe siècle, on l'incorporait aux salades.

ALCHÉMILLE COMMUNE

Alchemilla vulgaris

Famille : Rosacées.

Noms populaires : alchémille vulgaire, herbe des alchimistes, manteau de Notre-Dame, pied-de-lion.

Hauteur : 10 à 15 cm.

Distance de plantation : 15 cm.

Floraison : tout l'été.

Parties utilisées : la plante entière.

Propriétés : astringent, décongestif des organes (foie), emménagogue, sédatif, tonique, vulnéraire.

Historique : Comme plusieurs plantes, l'alchémille fut associée dès le Moyen Âge à la Vierge Marie; on voyait alors des correspondances divines entre le lobe ondulé de la feuille d'alchémille et le rebord dentelé du manteau de la Madone. L'une des appellations françaises serait originaire de la dénomination médiévale *Leontopodium,* signifiant «pied-de-lion», probablement inspirée par la forme de sa racine. Le nom générique *Alchemilla* dérive, quant à lui, du mot arabe *Alkemelych* signifiant «alchimie». On se rappellera, à ce propos, que la pratique alchimique s'est initialement élaborée en Orient. Certains ont prétendu que cette dernière appellation faisait référence aux propriétés subtiles de la plante. D'autres ont associé ces vertus «alchimiques» à la transpiration de son feuillage qui, sous forme de perles de rosée, s'accumule au cœur de la feuille, phénomène que le vocabulaire du Moyen Âge se plaisait d'ailleurs à nommer «eau céleste». Précisons également que, pour les alchimistes, la rosée constituait l'un des éléments majeurs de plusieurs potions aux vertus mystiques et qu'elle aurait été utilisée dans la recherche de la pierre philosophale.

Culture : L'alchémille préfère les endroits humides, acides ou basaltiques, mais sa culture donne tout de même de très bons résultats dans une bonne terre franche bien drainée. La plante est parfois attaquée par un champignon qui endommage principalement

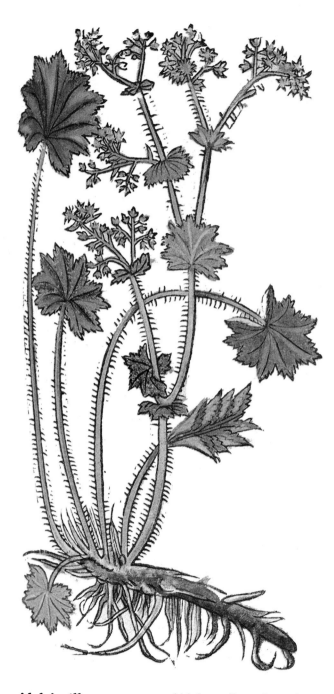

Alchémille commune *(Alchemilla vulgaris)*

la feuille et la tige; on veillera, dans ce cas, à procéder à un bêchage en profondeur, afin de libérer le surplus d'humidité, et à traiter la plante contre cette infestation qui pourrait se propager à
d'autres plantes. Dans tous les cas de maladies cryptogamiques,
une décoction de prêle pulvérisée sur les plants affectés s'avère très
efficace. Étant donné sa taille réduite, l'alchémille est une plante
de bordure. Son feuillage, d'un beau vert moyen et de texture
veloutée, en fait pour toute la saison la compagne idéale de plantes
plus florifères. On s'en sert aussi pour dissimuler la base peu élé-
gante de certains végétaux. L'association avec la Centaurée des
montagnes *(Centaurea montana)* est ravissante.

Si vous désirez propager l'alchémille, conservez au fur et à mesure les graines en forme d'étoile qui apparaîtront en cours de saison ou encore procédez à la division de la racine des plants les plus
forts.

Récolte : Seuls les plants sur lesquels les fleurs sont sur le point
d'éclore seront sélectionnés pour la cueillette, laquelle se pratique
toujours par temps sec et ensoleillé, après la rosée du matin.
Faites-les sécher par petits bouquets suspendus dans un endroit sec
et aéré.

Les racines se récoltent à l'automne; elles sont brossées pour
les débarrasser des impuretés avant d'être mises à sécher à l'ombre
sur des treillis. En règle générale, on ne doit jamais laver les
racines avant de les faire sécher.

Usages : On utilise la plante entière que l'on cueille lorsqu'elle est
en fleurs. La racine est quelquefois employée fraîche, mais la poudre de la racine séchée et râpée possède les mêmes propriétés, ce
qui permet de bien conserver la plante dans la pharmacie familiale.

Usages internes : L'absorption de trois tasses d'infusion quo-
tidiennes d'alchémille (quelques milligrammes de plante séchée
pour un litre d'eau bouillante) aide à décongestionner le foie, agit
contre les maux de tête, les gaz intestinaux et les gastro-entérites,
régularise les flots menstruels excessifs et soulage les règles

douloureuses. L'infusion d'alchémille combat l'obésité à raison de trois tasses par jour, entre les repas, tandis que la décoction de la racine fraîche, que certains considèrent comme étant la partie la plus efficace de la plante, peut être utilisée pour arrêter les saignements de toutes sortes.

Usages externes : Sur les plaies mineures et les piqûres, on applique la pâte obtenue par trituration dans un mortier de la plante entière. Si on le désire, on peut également retenir la pâte par un léger bandage de gaze stérile. Une décoction forte est recommandée en bain de bouche contre les aphtes et les ulcères buccaux.

L'alchémille entre aussi dans la composition d'oreillers calmants favorisant ainsi le sommeil réparateur.

ANGÉLIQUE OFFICINALE
Angelica archangelica

Famille : Ombellifères.
Noms populaires : archangélique, belle angélique, herbe aux anges, racine du Saint-Esprit.
Hauteur : 1 à 2,5 m.
Distance de plantation : 1 m.
Floraison : mi-été.
Parties utilisées : principalement les racines. Bien que les autres parties de la plante possèdent les mêmes propriétés médicinales et aromatiques; leur principe actif est toutefois considéré plus périssable.
Propriétés : antispasmodique, apéritif, béchique, carminatif, diaphorétique, digestif (facilite la digestion des aliments gras), diurétique, emménagogue, expectorant, préventif (des maladies contagieuses), stimulant, stomachique, tonique général.

Historique : L'angélique est mentionnée dans presque tous les folklores du nord de l'Europe où on y vante ses mérites et ses vertus. Elle fut autrefois très recherchée principalement à cause de son goût sucré, le sucre ayant été une denrée rare à une certaine époque. Dans certaines des contrées où elle abonde, la coutume chez les paysans voulait qu'au début de l'été on offre la plante à vendre dans la ville en se promenant dans les rues et en chantant des chansons dont les paroles et les airs avaient été appris dès l'enfance. Cette pratique pourrait être attribuée à certains festivals païens auxquels la plante aurait été associée.

Dès le début de l'ère chrétienne, l'esprit populaire apparentait la plante à un quelconque patronage angélique et au festival printanier de l'Annonciation. Selon une ancienne légende, les propriétés médicinales de l'angélique ont été révélées par un ange au cour d'un rêve. Une autre interprétation de l'origine de son nom vient du fait que la plante fleurissait vers le 8 mai, jour de la Saint-Michel, ce qui, d'après les Anciens, lui conférait le pouvoir de préserver contre les mauvais esprits et la sorcellerie.

Angélique officinale *(Angelica archangelica)*

Échappée des jardins, l'angélique croissait librement au début du siècle dans plusieurs parcs et squares londoniens. Tour à tour appréciée pour son feuillage ou traitée comme une intruse parce que trop envahissante, il fut un temps où elle était très répandue sur les pentes nord et ouest bordant la tour de Londres.

L'angélique se distingue également par son odeur agréable très différente des autres ombellifères comme le fenouil, le persil, l'anis, le carvi et le cerfeuil. La racine est également odorante et constitue l'un des principaux aromates utilisés en Europe. L'angélique entre dans la confection de plusieurs produits alimentaires. Les tiges servent notamment en confiserie et dans la fabrication de confitures. Quant aux semences, elles sont utilisées dans la fabrication de liqueurs comme la Bénédictine, le Vermouth et la Chartreuse, ainsi que dans la composition de certains parfums.

Culture : On cultive l'angélique dans tout sol profond et humide, en position ombragée. La plante se plaît dans les milieux humides tels les bords des ruisseaux ou des étangs.

Malgré cette préférence, l'angélique se développe très bien dans d'autres conditions, par exemple sous un arbre, et sied merveilleusement bien à l'arrière-plan d'une plate-bande surplombant les fines herbes comme la sauge, la ciboulette et la menthe. Peu atteinte par les insectes et les infestations de toutes sortes, son principal ennemi est une mineuse du même type que celle qui attaque le céleri et l'épinard.

Deux méthodes sont efficaces pour propager l'angélique : la mise en terre de la semence fraîche ou la division de la racine des plants mères. Toutefois, étant donné la difficulté des plants mères à supporter la transplantation, procédez avec délicatesse. On peut encore prélever de jeunes tiges sur un plant d'au moins deux ans et les planter en laissant environ un mètre entre chaque plant. Cette dernière méthode de propagation est toutefois moins efficace que les deux premières.

Sur le plan ornemental, on cultive l'angélique principalement pour la beauté et la luxuriance de son feuillage d'un beau vert clair. Peu esthétiques, les fleurs jaune verdâtre s'érigent en ombelles arrondies au milieu de l'été. Il est possible de prolonger de plusieurs années la vie d'un plant qui normalement meurt après la floraison, tout simplement en taillant l'inflorescence avant la formation des semences.

Récolte : Les racines très épaisses sont immédiatement coupées longitudinalement après la cueillette, afin d'accélérer la dessiccation.

Les racines d'angélique doivent être séchées rapidement et conservées dans un contenant de verre hermétiquement fermé. Cette précaution assurera la préservation de ses propriétés médicinales pour plusieurs années. On peut récolter les racines à l'automne dès la première année, mais, à mon avis, il est préférable d'attendre la deuxième saison avant de les prélever, pour obtenir une meilleure implantation.

Dès l'enracinement assuré, il sera possible de prélever des feuilles, sans pour autant nuire au bon développement de la plante. Lorsque les tiges sont volumineuses, il faut prendre la précaution de les débarrasser de leurs feuilles, avant de les faire sécher séparément, sur des treillis suspendus.

Usage interne : L'angélique est une aide extrêmement précieuse spécialement sous notre climat peu clément. L'absorption d'une à deux tasses d'infusion par jour, durant toute la saison hivernale, agira comme fortifiant et, de plus, vous mettra à l'abri des épidémies de grippes. Ses propriétés expectorantes et diaphorétiques peuvent être favorablement associées au gingembre. Les infusions de racines ou de semences sont tout à fait indiquées dans les cas de fatigue générale, d'anémie, de migraines nerveuses, pendant une convalescence et lors de périodes particulièrement exténuantes comme les sessions d'examens. L'infusion se prépare en laissant infuser au moins 15 minutes quelques milligrammes de racines dans un litre d'eau bouillante.

On pourra selon la tradition européenne faire un excellent vin d'angélique en incorporant 60 grammes de racines coupées et 8 grammes de cannelle dans 2 litres de vin rouge. Laisser infuser à froid pendant quatre jours dans un contenant fermé, puis filtrer et embouteiller. L'absorption d'une cuillerée à soupe de ce vin trois fois par jour aidera à enrayer la fatigue générale.

Punch à l'angélique pour les malades : Verser un litre d'eau bouillante sur 30 grammes de racines fraîches d'angélique coupées en petits morceaux; couvrir et laisser infuser pendant une heure. Passer dans un linge fin, puis ajouter un quart de tasse (61,5 ml) d'alcool et une demi-tasse (125 ml) de sirop de vinaigre framboisé. Vous pourrez, si vous le désirez, ajouter à ce mélange deux à trois gouttes d'essence de citron ou une rondelle de citron.

Usages externes : Lors de périodes de travail intense et de stress, les bains d'angélique sont calmants et soulagent les démangeaisons d'origine nerveuse.

Une compresse trempée dans une demi-tasse (125 ml) d'eau bouillante additionnée d'une cuillerée à soupe de la teinture mère de la racine peut être appliquée sur les contusions et les articulations atteintes de rhumatisme. Des bains de bouche de ce mélange sont également indiqués contre les affections buccales. La teinture mère s'obtient par la macération d'une des parties médicinales de la plante dans un alcool à 90 p. 100. Laisser reposer la préparation dans l'obscurité, de trois jours à une semaine. Filtrer à travers un linge fin avant d'embouteiller dans un flacon stérilisé.

Vous remarquerez, que dans certains cas, je recommande la macération dans un substrat à plus faible teneur en alcool. Ceci s'explique par le fait que certains principes médicinaux s'extraient plus facilement avec un pourcentage en alcool élevé, alors que d'autres s'extraient aisément dans un alcool à 40 p. 100, par exemple.

Usage culinaire : Le parfum de l'angélique s'extrait facilement dans l'alcool, et se marie avantageusement à certains plats. En confiserie, les tiges vertes d'angélique sont très prisées.

Crème d'angélique :
3 litres d'eau-de-vie
250 grammes de jeunes tiges fraîches d'angélique

12 grammes de muscade
4 grammes de cannelle
5 clous de girofle
1,5 kilo de sucre
1 litre d'eau

Couper les tiges d'angélique en petits morceaux et les faire macérer dans l'eau-de-vie, pendant six semaines, avec la muscade, la cannelle et les clous de girofle. Passer ensuite dans un linge fin et ajouter le sucre dissout à froid dans un litre d'eau, puis filtrer.

Ratafia d'angélique :

10 litres d'alcool à 80 p. 100
100 grammes d'amandes amères mondées
75 grammes de semences d'angélique
75 grammes de tiges fraîches d'angélique
8 litres d'eau
8 kilos de sucre en pain

Réduire les amandes en pâte très fine. Couper les tiges d'angélique en petits morceaux. Faire macérer la pâte d'amande, les semences d'angélique et les morceaux d'angélique dans l'alcool, pendant douze jours. Passer ensuite dans un linge, ajouter l'eau dans laquelle vous aurez fait dissoudre le sucre à froid. Filtrer.

Mettre au réfrigérateur pendant trois ou quatre jours. Si un dépôt s'est formé, il faut filtrer ou décanter avec précaution. Cette dernière opération ne doit être faite qu'après avoir maintenu les flacons pendant 24 heures dans une pièce modérément chauffée, car certaines liqueurs deviennent troubles au froid mais elles reprennent leur limpidité dès qu'elles sont chambrées.

Punch à l'angélique :

30 grammes de racines fraîches, coupées
1 litre d'eau bouillante
4 centilitres de rhum blanc
Quelques rondelles de citron

SOUCI OFFICINAL
Calendula officinalis

Famille : Composées.
Noms populaires : souci, souci des jardins.
Hauteur : 15 à 60 cm.
Distance de plantation : 20 à 25 cm.
Floraison : juillet à août.
Partie utilisée : la fleur et les feuilles.
Propriétés : antiseptique, antivomitif, antispasmodique, cicatrisant, dépuratif, diurétique, emménagogue, stimulant, sudorifique.

Historique : Plante du soleil, le souci est régi par le signe du Lion. Son nom latin *Calendula* rappelle qu'elle fleurissait aux calendes de chaque mois. Son appellation anglaise, *Marsh Marygold,* contrairement à ce qu'on pourrait croire, ne fait pas référence à la Vierge Marie, mais provient plutôt de *meargealla,* une déformation de l'anglo-saxon. Plus tard, elle fut tout de même dédiée à la Vierge Marie, et au XVIIe siècle, on l'associa plus précisément à la reine Marie. Le mot souci, du bas latin *solsequia,* signifie, pour sa part, «qui suit le soleil» et ne fait aucunement référence à des ennuis ou des malheurs quelconques. Bien connu des herboristes du Moyen Âge, le souci fut utilisé pour ses propriétés tant culinaires que médicinales.

Pendant longtemps il fut utilisé pour colorer le beurre auquel il donne une belle teinte dorée et comme substitut du safran pour colorer le riz. Partie intégrante du jardin d'herbes aromatiques, on cultivait le souci pour ses fleurs qui, une fois séchées, étaient incorporées dans les bouillons et les potages; on lui attribuait alors des vertus contre les maux de tête, la jaunisse, les maux de dents et la fièvre. Assez répandu dans les jardins du Québec, le souci fait pratiquement partie de notre patrimoine culturel. Nombre de nos grands-mères en ont cultivé dans leurs jardins et la redécouverte de cette plante relativement humble nous ramène à nos souvenirs d'enfance, ce qui nous la fait davantage apprécier.

Souci officinal *(Calendula officinalis)*

Culture : Le souci est de culture très facile et ses semences sont abondantes. On prendra la précaution de se procurer la variété officinale *Calendula officinalis*, la seule à développer les principes actifs. Le souci se sème en pleine terre aux premiers dégels printaniers, dans un sol bien drainé offrant une exposition ensoleillée. Ses exigences quant au sol étant minimales, la plante se développe bien dans n'importe quel sol et ne demande aucun soin particulier. On obtient tout de même de meilleures récoltes dans un sol riche et profond. Quoi qu'il en soit, je vous recommande malgré tout de tenir la terre exempte de mauvaises herbes et d'éclaircir lorsque les plants deviennent trop serrés. Respectez une équidistance de 20 à 25 cm, cela permettra un meilleur étalement des plants. Assez résistant à la sécheresse, il peut arriver toutefois que le souci présente un aspect fané; un arrosage abondant suffira à lui redonner sa belle apparence. En règle générale, il convient de ne pas trop arroser nos herbes médicinales; la quête de nutriments, dans leur cas, force en quelque sorte la plante à développer ses huiles éthériques et ses principes actifs.

Pour obtenir plus de fleurs et favoriser la ramification du plant, le pincement des bourgeons terminaux est généralement pratiqué par les jardiniers. Au jardin, le souci fleurit durant toute la saison et, étant donné sa taille réduite, il se place bien en premier plan. Le souci accompagne bien le serpolet *(Thymus serpyllum)* qu'il rehausse par la teinte jaunâtre de ses fleurs. L'association avec la salvia et les Delphiniums (pieds-d'alouette) en massif est assez exceptionnelle; mais il ne faudra pas négliger l'association traditionnelle toujours intéressante du souci avec les plantes aromatiques.

Récolte : Le souci produit une quantité importante de semences qu'on se devrait de cueillir lorsque l'enveloppe présente un aspect sec, exposant les semences à l'air libre. Celles-ci doivent être suffisamment séchées sur le plant avant de les récolter. On les conservera dans un sac de papier placé dans un endroit sec et aéré, jusqu'au printemps.

La cueillette des fleurs se fait tôt le matin, après la disparition de la rosée, par temps sec et dégagé. Au Québec, les cueillettes se font généralement en matinée aux alentours de 10 heures. Dans tous les cas de cueillette de fleurs, il s'agit d'éviter l'excès d'humidité pouvant entraîner une mauvaise dessiccation. On peut prélever les fleurs tous les matins, dans la mesure où celles-ci sont au début de leur plein épanouissement et ne présentent pas de parties fanées ou flétries. Pour le souci, l'épanouissement complet de la corolle est l'indice principal.

Usages : L'allure plutôt humble du souci ne laisse d'aucune façon soupçonner les nombreux services qu'elle peut rendre aux humains et aux animaux. Je recommande particulièrement la teinture de souci comme une des composantes majeures de la trousse pharmaceutique familiale. Toutes les préparations sont possibles avec le souci : compresses, teintures, onguents, tisanes, etc.

Usages internes : Les tisanes de fleurs de souci peuvent être prises en abondance sans contre-indication. En infusion, une cuillerée à café par tasse d'eau bouillante traite bien l'aménorrhée à raison d'une tasse avant chaque repas, à compter d'une semaine avant les menstruations. La même infusion se veut très efficace contre les troubles gastro-intestinaux.

Usages externes : L'application d'une compresse tiède trempée dans une solution composée d'une cuillère à café de teinture mère dans une tasse d'eau bouillie est recommandée dans tous les cas de blessures ouvertes et de contusions avec ou sans infection. La plante regénère les tissus affectés, nettoie et facilite la guérison des plaies et stimule la circulation. La plupart des irritations cutanées avec démangeaisons peuvent être soulagées de la même façon. Appliqué en compresse très chaude sur la partie affectée, ce mélange calme la douleur et enraie l'irritation. Cette application est d'un grand secours dans les cas d'eczéma, d'impétigo, de furoncle, d'ulcère, d'acné et de dartre et, oh ! merveille, elle calme les irritations dues aux irruptions de varicelle. En bain de pied, la même préparation agit efficacement, et est d'un grand secours pour les personnes qui souffrent de pieds d'athlètes.

Il est également possible de faire un onguent à partir de la plante entière. Cet onguent est approprié pour traiter les malaises décrits précédemment. De plus, il sert d'onguent protecteur contre le froid pour la peau fragile des jeunes enfants ou celle des personnes exposées aux intempéries comme les sportifs et les jardiniers. Cette pommade soigne admirablement bien l'érythème fessier des bébés.

Contre les maladies des yeux, on baigne l'œil affecté avec une infusion faite de fleurs de souci et d'une petite poignée de fleurs de bleuet *(Centaurea cyanus)* et de sauge à parties égales, dans un litre d'eau bouillante.

Les fumigations stimulent la peau et lui donnent de l'éclat tandis qu'un cataplasme de feuilles fraîches peut enrayer les verrues et les cors. Enfin, le suc frais de la fleur, frictionné sur les piqûres d'insectes, y compris celles d'abeilles, prévient l'enflure et soulage la douleur.

Pour les animaux : L'application vétérinaire du souci peut rendre bien des services et soulager les animaux en guérissant les blessures causées par les piqûres d'insectes, les égratignures, les blessures aux articulations ainsi que les plaies purulentes.

Teinture : Elle se prépare par macération solaire de 200 grammes de fleurs fraîches dans un litre d'alcool à 70 p.100 ou 90 p.100. Filtrer après 15 jours, embouteiller et conserver dans un endroit sombre.

Onguent : L'onguent se prépare en faisant macérer au soleil, pendant environ 30 jours, 200 grammes de fleurs fraîches dans deux tasses et demie (625 ml) d'huile d'olive pressée à froid. Après ce temps, chauffer le tout à basse température pendant deux heures au bain-marie. Incorporer doucement 400 grammes de cire d'abeille et quelques grammes de propolis. Avant d'empoter, ajouter quelques gouttes de teinture de benjoin dans chaque contenant. Conserver dans un endroit frais et sombre.

Usages culinaires et décoratifs : Les fleurs au goût amer et légèrement salé peuvent être ajoutées avantageusement aux salades et décorent admirablement bien les desserts estivaux. Comme nos ancêtres, on peut encore colorer le beurre et le riz avec les pétales fraîchement cueillis et en ajouter à nos potages. En bouquet, les fleurs se conservent assez longtemps en vase et accompagnent bien les fleurs aux teintes bleutées mais, il ne faudrait pas trop compter sur le souci pour embaumer la maison; bien que ses propriétés médicinales soient remarquables, il en est tout autrement de son parfum âcre et résineux.

Brioches de souci :

2 œufs
Poids équivalent des 2 œufs en farine et en sucre
Séparer les œufs
Ajouter le sucre aux jaunes d'œufs et bien incorporer
Ajouter la farine et les pétales de souci
Battre les blancs d'œufs en neige
Incorporer lentement à l'autre mélange
Déposer délicatement dans des moules à muffins (petits moules ronds et profonds), préalablement beurrés
Garnir le dessus de quelques pétales et saupoudrer de sucre
Cuire au four, 10 minutes, à 180 °C

ÉCHINACÉE POURPRE

Echinacea purpurea

Famille : Composées.
Nom populaire : rudbeckie pourpre.
Hauteur : 0,80 cm à 1 mètre.
Distance de plantation : 40 à 60 cm.
Floraison : juillet à septembre.
Parties utilisées : le rhizome séché et la racine.
Propriétés : antitoxique, sudorifique.

Historique : Naturalisée dans la plupart des régions du sud-est américain, l'échinacée se retrouve dans les champs et les boisés ouverts et secs. Son nom botanique est un dérivé du grec *echinos* signifiant «oursin», en référence aux poils durs et hérissés des fleurs une fois séchées.

Les Amérindiens furent les premiers à reconnaître l'importance des propriétés médicinales de l'échinacée en l'intégrant avantageusement à leur médecine populaire. Les femmes amérindiennes peignaient leur longue chevelure avec les fleurs séchées, tandis que pour soulager les enrouements, les grippes, les ulcères, les morsures d'insectes et de serpents, les maux de dents, les infections, voire même certains cancers, les Amérindiens des Prairies concoctaient un thé avec les racines fraîches. Il y a environ une centaine d'années, l'American Dispensary[1] reconnaissait à son tour les vertus de la teinture d'échinacée et son pouvoir de combattre les infections.

Peu à peu, les recherches scientifiques établirent la véracité des croyances amérindiennes; des propriétés antibiotiques furent alors accordées à la plante et l'on démontra que la macération des racines dans l'alcool développait une synergie telle que le mélange pouvait effectivement traiter certains cancers ainsi que l'herpès.

Culture : Aux fins médicinales, on s'en tiendra aux variétés *purpurea* et *augustifolia* qui possèdent les mêmes propriétés. La taille de cette plante permet une grande diversité d'emplacements tant

1. Organisme chargé de la normalisation et de la réglementation de l'utilisation pharmacologique des plantes médicinales.

Échinacée pourpre *(Echinacea purpurea)*

en arrière-plan qu'au milieu d'une plate-bande. On peut tirer profit d'une association avec d'autres couleurs et variétés d'échinacées en vente sur le marché : «The King», fleurs au cœur foncé et pétales corail; «Leuchtstern», pétales rouges et inflorescences de plus grosse dimension; «Bright Star», très grande, fleurs rose lavande; «Robert Bloom», pétales pourpres et centre orangé; et enfin, «Alba», pétales blancs et centre jaune orangé. Cette plante ressemble en plus petit au tournesol avec, comme caractéristique, une fleur ayant un centre proéminent habituellement pourpre, légèrement en forme de cône. Les feuilles sont lancéolées, finement dentelées et rudes au toucher.

Pour l'ornementation, il est avantageux de traiter la plante en massif ou encore de la resserrer en utilisant d'autres plantes plus basses comme l'hémérocalle ou encore l'hysope. L'échinacée se marie bien avec l'aconit, la Digitale pourpre, différentes variétés de chrysanthèmes ainsi qu'avec la Verge d'or, l'*Echinops ritro* et les Delphiniums (pieds-d'alouette). La floraison apparaît à la fin de juillet et début août; on surveillera alors le plein épanouissement des fleurs pour effectuer la cueillette au moment idéal.

L'échinacée préfère un endroit ensoleillé, un sol bien drainé et fertile. La plante se propage par division de la racine au printemps ou à l'automne : cette technique représente le moyen le plus efficace de multiplication de la plante. Divisées en automne, les tiges sont rabattues au ras du sol. Un apport de compost bien mûr est souhaitable à ce moment-là.

Usages médicinaux : Très utile en cas de rhumes et grippes diverses, l'échinacée élimine les toxines et les fièvres dues aux infections internes et externes, telles que les abcès. À l'instar des Sioux qui l'ont très tôt intégrée à leur médecine pour soigner les cas de septicémie cutanée, on fera macérer la racine coupée en morceaux dans une tasse (250 ml) d'eau bouillante pendant 30 minutes, puis après avoir filtré le mélange, on en fera une compresse tiède. Ces compresses sont particulièrement efficaces contre l'acné, les abcès et les hémorroïdes. Dans ce dernier cas, des injections anales de l'infusion sont également recommandées.

L'absorption d'une cuillerée à soupe trois à six fois par jour de cette même préparation sert à renforcer le système immunitaire dans les cas de grippes, rhumes et maladies contagieuses infantiles. L'échinacée ne devrait pas être utilisée lorsque l'odeur et le goût caractéristique de la plante se sont atténués, car cela indique un appauvrissement de ses propriétés médicinales et par le fait même, l'inefficacité de la préparation.

MILLEPERTUIS

Hypericum perforatum

Famille : Hypéricacées.
Noms populaires : chasse-diable, herbe aux piqûres, herbe de la Saint-Jean.
Hauteur : 30 à 60 cm.
Distance de plantation : 50 à 60 cm.
Floraison : juillet.
Parties utilisées : les fleurs.
Propriétés : antiputride et vulnéraire, relaxant musculaire, topique.

Historique : Le nom latin du millepertuis, *Hypericum*, qui provient du grec *hyper,* signifiant «au-dessus» et *eikon*, «image», remémore la coutume très ancienne qui voulait que la plante soit souvent placée près des représentations humaines ou divines pour que son odeur puisse contrer les esprits maléfiques. Dans de nombreuses légendes et histoires de sorcellerie du Moyen Âge, le millepertuis, connu alors sous le nom de *Fuga demonium*, a joué un rôle considérable pour chasser les démons et calmer les humains qui en étaient possédés. Son nom commun, herbe de la Saint-Jean, est issu d'une vieille superstition selon laquelle la plante cueillie le 24 juin, journée de la Saint-Jean, devait protéger la personne qui l'avait cueillie contre les sorcières et les mauvais esprits. Une ancienne croyance chrétienne associait au sang et aux plaies de Jésus la substance rouge que l'on retrouve dans la fleur. Au Moyen Âge, les jeunes filles en tressaient des guirlandes qu'elles portaient fièrement pour danser autour du feu de la Saint-Jean. Au cours de cette mystérieuse nuit, des branches de millepertuis étaient jetées dans l'eau et devaient révéler aux jeunes filles l'identité de leur prochain prétendant.

Culture et récolte : Si au mois de juillet, lors de vos promenades le long d'anciens chemins de campagne, vous repérez la plante dans son habitat naturel, aux abords de la route et que l'endroit

Millepertuis *(Hypericum perforatum)*

constitue un environnement relativement sain, c'est-à-dire où la circulation automobile est faible, je vous recommande de la cueillir là dans son royaume. L'expérience de la cueillette des fleurs de millepertuis est extraordinaire; une boîte qu'on accroche à son cou, comme celle utilisée pour la cueillette des myrtilles (bleuets), est essentielle car l'opération nécessite l'usage des deux mains. On dégage les sommités fleuries par grappes en faisant glisser sa main vers le haut, le long des tiges. S'il vous est impossible de réunir ces conditions idéales de cueillette, vous pouvez cultiver cette précieuse plante dans votre jardin. Cependant, pour extraire la quantité d'huile nécessaire aux besoins familiaux, il faudra introduire suffisamment de plants qui pourront être plantés sous forme de haies le long d'un mur ou encore en massifs serrés. On évitera de prélever des fleurs chaque année sur les mêmes plants, ce qui pourrait éventuellement les affaiblir.

Le millepertuis se cultive dans n'importe quel sol de jardin léger, bien drainé; il tolère une large gamme d'exposition, allant du plein soleil à l'ombre complète. Un apport de matières organiques moyennement acides telles que la mousse de tourbe ou un compost à base de feuilles lui est salutaire. On implantera le millepertuis au printemps, lorsque tout danger de gel est disparu, en procédant à une division de la racine ou encore à partir de la semence en pleine terre. On peut forcer la croissance des plants en les rabattant à quelques centimètres de la base à tous les deux ans.

En association avec les rosiers, les hémérocalles et les pavots, le millepertuis en rehausse l'ensemble par son port arbustif et la couleur jaune brillant de ses fleurs en forme d'étoiles.

Usages externes : La forme d'utilisation la plus connue de la plante est l'huile de millepertuis dont on se sert traditionnellement en application sur les plaies, les brûlures et les ulcères, ainsi qu'en friction pour soulager les douleurs rhumatismales. Il est préférable de faire légèrement chauffer l'huile avant application.

L'huile de millepertuis est très facile à fabriquer; il suffit de faire macérer les sommités fleuries dans une bonne huile d'olive pressée à froid et d'exposer la bouteille de verre tout l'été aux rayons solaires. La bouteille sera préalablement remplie de fleurs tassées sur lesquelles on versera l'huile; vous assisterez alors à un lent processus que vous pourrez admirer jour après jour; le liquide prendra progressivement une couleur rougeâtre semblable à celle d'un bon vin rouge, jusqu'au jour où vous déciderez que l'huile est enfin prête. Certains herboristes suggèrent de transvider l'huile une fois la macération complétée, dans de petites bouteilles, afin d'éviter l'altération due aux débouchages répétés. Une autre méthode traditionnelle de préparation de cette huile consiste à faire macérer, durant cinq jours, 500 grammes de fleurs dans un litre d'huile d'olive et un demi-litre de vin blanc. Le mélange est ensuite chauffé au bain-marie jusqu'à évaporation complète du vin. Dans les deux procédés, il convient de filtrer avant d'entreposer les flacons dans un endroit sombre et frais.

Pour ma part, je préfère la méthode de la macération solaire. J'ajoute à la préparation des fleurs de camomille afin de maximiser les effets anti-inflammatoires de l'huile. On l'applique en compresses sur les blessures ou les brûlures et en friction sur les foulures et les contusions.

Une extraction similaire d'une partie de fleurs pour deux parties d'huile, mais cette fois avec de l'huile de tournesol ou d'amande douce, est excellente pour les soins de la peau en général.

Contre-indication : Bien que l'huile de millepertuis soit indiquée contre les brûlures, **elle en causerait si on l'appliquait comme huile solaire**.

Trituration : Les feuilles de millepertuis triturées et appliquées en emplâtre guérissent les ampoules.

IRIS VERSICOLORE

Iris versicolor

Famille : Iridacées.
Noms populaires : glaïeul bleu, iris des jardins.
Hauteur : 40 à 60 cm.
Distance de plantation : 25 cm.
Floraison : mai à juin.
Partie utilisée : le rhizome.
Propriétés : activateur de la circulation, antifermentatif, cholagogue, dépuratif, diurétique, expectorant.

Historique : Si la rose est la reine des jardins, l'Iris versicolore en est certainement la princesse. C'est à Iris, déesse des arcs-en-ciel, reconnue pour sa grande beauté, que l'on doit le nom de cette plante. Dédié à Junon dans les temps anciens, l'iris représentait un symbole de pouvoir et de majesté; le sceptre des rois égyptiens s'en inspirait, les trois pétales symbolisant pour eux, la foi, la sagesse et la vaillance.

Culture : L'Iris versicolore préfère un sol fertile, bien drainé, humide, ainsi qu'une exposition ensoleillée. La terre doit être amendée et enrichie avec un compost végétal auquel on aura ajouté de la poudre d'os. On cherchera à maintenir le sol relativement neutre ou légèrement alcalin tout en évitant un trop grand apport d'azote qui stimulerait la luxuriance du feuillage au détriment de la floraison. Pour obtenir de meilleurs résultats, il s'agit de sélectionner des rhizomes sains et fermes et de les repiquer au jardin assez tôt au printemps.

La méthode habituelle de plantation des iris rhizomateux se résume comme suit. Creusez un trou en y laissant un petit monticule de terre au centre; la partie supérieure de ce monticule devrait être au même niveau que le sol. Placez-y le rhizome en étalant soigneusement les racines vers le bas, puis refermez le tout en prenant bien soin de ne pas trop enfoncer le rhizome dont la partie supérieure doit affleurer la surface du sol. Arrosez modérément

Iris versicolore *(Iris versicolor)*

et vérifiez régulièrement l'humidité du sol jusqu'à reprise complète des plants. Pour stimuler la croissance de la plante, les fleurs sont prélevées aussitôt la floraison terminée. Un désherbage systématique est également nécessaire à une bonne croissance, d'autant plus que les mauvaises herbes épuisent le sol et inhibent la croissance des iris en diminuant l'ensoleillement vital. À l'automne ou lors de la transplantation, on rabat les feuilles à quelques centimètres du rhizome.

Les iris sont sujets à l'infestation de plusieurs insectes dont on évitera les ravages en maintenant une grande propreté autour des plants. Dès qu'une maladie ou une infestation est suspectée tel le botrytis communément appelé «pourriture du rhizome», il est préférable de brûler toutes les parties affectées qu'on aura enlevées. Après cette opération, on désinfecte les blessures causées au rhizome avec de l'eau de javel à usage domestique.

Idéals pour les endroits humides du jardin, près des robinets extérieurs ou encore près des barils collecteurs d'eau de pluie, les massifs d'iris sont spectaculaires. Les associations avec l'Iris versicolore sont multiples; je vous en suggérerai quelques-unes, mais rien ne vaut l'expérience personnelle ! En plate-bande, par exemple, l'Iris versicolore, avec ses larges feuilles vert bleuté et dressées, est absolument ravissant surtout en avant des salvias, des onagres et des panicauts. Juxtaposez-le aux pivoines et, si adossé à un mur, placez-le en avant des rosiers grimpants et des clématites.

Récolte et conservation : Les rhizomes se conservent à la noirceur dans un contenant hermétiquement fermé. On aura pris soin, au préalable, de les couper et les faire sécher sur un treillis dans un endroit bien aéré. Cette précaution vise à préserver le principe actif, en l'occurrence l'*iridin* contenu dans la racine.

Usages : On emploie principalement la racine d'iris contre les maux de tête, mais plus précisément pour soulager des migraines menstruelles. Une teinture d'iris se prépare en faisant macérer la racine fraîche à l'obscurité dans un alcool à 40 p. 100 durant 15 jours. Une dizaine de gouttes de cette teinture dans une cuillerée à café d'eau, trois fois par jour, suffira à traiter les migraines. Une infusion à froid à parties égales d'eau et de racine macérée toute la nuit viendra à bout des mêmes symptômes. La racine râpée, mélangée aux aliments, donne les mêmes résultats.

Un autre iris, le *germanica*, connu des herboristes sous le nom d'Orris root, très souvent utilisé dans les sachets odoriférants (pots-pourris), s'emploie depuis très longtemps pour parfumer le linge dans les tiroirs et les armoires. On confectionne de petits sachets dans lesquels on insère des racines auquel on ajoute parfois de la lavande.

Sel de bain à l'iris : Une poignée de sel d'iris suffit pour un bain complet et promet de transformer un geste quotidien en une expérience inoubliable.

150 grammes de bicarbonate de soude
90 grammes de poudre de racine d'*Iris germanica*
Quelques gouttes d'huile essentielle de lavande ou de romarin ou de toute autre huile.

Mélanger les ingrédients ensemble et triturer dans un mortier. Conserver dans un contenant de verre fermant hermétiquement. Ce sel de bain se conservera environ trois mois, si vous prenez la précaution de l'entreposer dans un endroit frais et sombre.

MAUVE MUSQUÉE

Malva moschata

Famille : Malvacées.
Noms populaires : fromageons, grande mauve, mauve sauvage.
Hauteur : 60 cm.
Distance de plantation : 45 cm.
Floraison : mi-été.
Parties utilisées : feuilles et fleurs.
Propriétés : antiphlogistique, calmant, diurétique, émollient, laxatif, pectoral.

Historique : Il existe plusieurs variétés de mauve et toutes possèdent des vertus médicinales. Les Grecs et les Romains l'employaient pour ses propriétés gastronomiques et médicinales. Les fleurs de la mauve s'orientent toujours vers le soleil, ce qui faisait dire aux disciples de Pythagore qu'elle symbolisait la modération des passions, vertu indispensable pour atteindre la sagesse, le maintien de la liberté et de la santé. Horace, pour sa part, prétendait qu'il se nourrissait uniquement d'olives, de chicorée et de mauve. Le Moyen Âge accorda également une très grande importance à cette plante. Au XIIe siècle, sainte Hildegarde, célèbre abbesse bénédictine, recommandait l'utilisation de cette plante contre un très grand nombre de maladies dont les maux de tête. Pline a écrit à son sujet : «Quiconque boit chaque jour une potion de mauve sera préservé de la maladie.»

Bien connue des Chinois, la mauve paraît encore aujourd'hui au menu asiatique, présentée en salade ou cuite comme des épinards. Au XVIe siècle, la mauve, alors appelée *omnimorbia*, signifiant «panacée», était l'un des ingrédients entrant dans la composition de deux célèbres recettes d'herboristes : la tisane des quatre fleurs et la tisane des sept espèces.

Culture : Précisons que toutes les variétés de mauve ont les mêmes vertus. Au Québec, on rencontre fréquemment les variétés *Malva moschata*, *M. neglecta* et *M. passiflora*, cette dernière étant

Mauve musquée *(Malva moschata)*

reconnue notamment pour ses qualités émollientes. La mauve se cultive aisément, en autant qu'elle soit placée dans un endroit humide et frais, en exposition ensoleillée ou partiellement ombragée et, de préférence, dans un sol riche en nitrates. Il suffira de rabattre les tiges à l'automne pour favoriser le développement de la racine.

Les feuilles, fortement découpées et lobées, dégagent une odeur légèrement musquée lorsque froissées. En plate-bande on peut l'associer à la Lysimaque ponctuée *(Lysimachia punctata)*, au Séneçon maritime *(Senecio maritimus)* et aux panicauts *(Eryngium)*. La mauve se marie fort bien à l'alchemille, à la lavande, à la sauge pourprée, et fait bonne figure devant les Delphiniums (pieds-d'alouette). Un massif de mauves isolé, à l'angle d'un bâtiment ou au détour d'un sentier, est toujours un spectacle d'une grande beauté. À l'état sauvage, on la retrouve souvent dans les fossés le long des routes de campagne où sa seule présence enjolive les paysages ruraux les plus austères.

Récolte et séchage : Dans le cas de la mauve, les fleurs récoltées ne doivent pas être complètement épanouies et le séchage des feuilles et des fleurs se doit d'être très rapide. Bien séchées, les feuilles ne devraient pas perdre leur couleur. Les racines sont récoltées à l'automne et mises à sécher une fois brossées, sans être lavées. La mauve s'emploie de préférence à l'état frais, parce que le séchage détruit en bonne partie ses propriétés mucilagineuses, mais puisqu'il ne saurait être question de s'en passer, il s'agit de prendre toutes les précautions nécessaires à un séchage parfait.

Usages : On utilise la mauve de toutes les façons : en infusion, en trituration, en cataplasme, en compresse, en bain, en lotion ou encore en lavement. Comme toutes les plantes mucilagineuses, la *Malva sylvestris* est un excellent dépuratif pour les grippes, rhumes, irritations de la gorge, aussi bien que pour les diarrhées et les gastro-entérites. La plante contient des vitamines A, B, B_2, et C.

Usages internes : Depuis toujours l'action bénéfique de la mauve sur presque toutes les maladies inflammatoires a été reconnue. Recommandée pour les maladies de l'appareil respiratoire telles la toux, le rhume, la grippe, la bronchite et l'asthme, la mauve peut être consommée à volonté. On peut l'associer à d'autres plantes, telles que l'Achillée millefeuille qui, de son côté, diminuera la fièvre. On utilise également la mauve dans les cas de constipation chronique. La poudre de la racine peut être utilisée comme dentifrice familial et prévient les aphtes buccales en plus de fortifier les gencives des enfants.

Une soupe faite de feuilles de mauve et d'orge facilite la guérison des gastrites, des ulcères d'estomac et d'intestins. Pour ce faire, on cuit d'abord l'orge à laquelle on ajoute, une fois refroidie, les feuilles de mauve.

Dentifrice à la mauve : Mélanger à parties égales de l'aubergine calcinée mise en poudre, de l'argile blanche et de la poudre de racine de mauve. Utiliser ce mélange dentifrice une à deux fois par semaine.

Usages externes : La décoction des fleurs s'utilise avantageusement pour les bains d'yeux et de bouche ou encore en injections contre les vaginites. Le même mélange sert au nettoyage des plaies infectées ou encore à la fabrication de compresses chaudes que l'on applique sur les irritations cutanées de toutes sortes de même que sur les furoncles et les abcès. Afin de ne pas détruire le mucilage contenu dans la plante fraîche, je vous recommande de laisser tremper la plante pendant douze heures dans l'eau froide avant de la réchauffer légèrement. Le suc frais de la mauve s'utilise tel quel contre les piqûres d'insectes ou de guêpes et sert à la fabrication d'un cataplasme contenant un mélange de feuilles et de farine de lin qu'on utilise aux mêmes fins.

La mauve est d'un grand secours pour traiter plusieurs maladies de la peau, notamment l'acnée, la couperose et les taches brunes du visage, ainsi que pour calmer les démangeaisons. On applique les compresses aussi chaudes que possible sur les parties affectées, et le soulagement est quasi immédiat.

Contre l'inflammation des yeux, des feuilles fraîches triturées avec quelques gouttes de miel sont placées sur l'œil.

CAMOMILLE MATRICAIRE

Matricaria chamomilla

Famille : Composées.
Nom populaire : camomille allemande.
Hauteur : 30 à 60 cm.
Distance de plantation : 10 à 15 cm.
Floraison : tout l'été.
Parties utilisées : les fleurs.
Propriétés : antispasmodique, calmant, emménagogue, fébrifuge, sédatif, stomachique, sudorifique, tonique.

Historique : Les Égyptiens associèrent les propriétés fébrifuges de la camomille à sa physionomie et la dédièrent au dieu du Soleil, Râ. Le nom de cette plante vient du grec *khamaimêlon,* de *khamai* «à terre» et *mêlon* «pomme» (odeur de pomme sur la terre). Les Grecs avaient déjà, semble-t-il, reconnu son odeur agréable et forte; on l'appelait alors *partheenion.* Galien et Dioscoride, deux éminents médecins grecs, utilisaient la camomille contre la fièvre, pour calmer les douleurs menstruelles, apaiser les conjonctivites et guérir la jaunisse. Largement connue au XVIe siècle, la camomille double avait été introduite en Allemagne via l'Espagne avant la fin du Moyen Âge; dès cette époque, la plante fut incorporée aux sachets et mixtures végétales odoriférants.

Avant la Première Guerre mondiale, la culture de la camomille se pratiquait à grande échelle principalement en Belgique, en France et en Angleterre, notamment dans le fameux district de Mitcham, réputé pour ses cultures spécialisées d'herbes médicinales où la variété *Anthemis nobilis* (Camomille romaine) était privilégiée pour son huile qu'on obtenait par distillation.

Culture et cueillette : La camomille pousse bien dans tous les sols et exige une exposition ensoleillée. Toutefois, elle donne de bien meilleurs résultats en sols légers peu argileux et en terrain ouvert. Étant donné l'extrême fragilité des racines, il faudra garder le lit de plantation exempt de mauvaises herbes par un désherbage

Camomille matricaire *(Matricaria chamomilla)*

manuel systématique et un sarclage léger. On cueillera tous les matins les fleurs pleinement épanouies et ne présentant pas de taches brunâtres à la surface. Procédez à la cueillette par temps sec et ensoleillé, tôt le matin après la rosée. La camomille est très sensible à l'humidité, ce qui pourrait en compromettre la dessication; on la fera donc sécher à l'ombre, immédiatement après la cueillette, sur un treillis ou des claies, dans un endroit bien aéré.

Au jardin, un lit de camomille offre ses beautés solaires durant toute la saison, se mariant fort bien avec différentes variétés de pavots ou encore en succession après la floraison des bulbes printaniers. La camomille se plaît près de la sauge, de la ciboulette et de la lavande, là, en fait, où on la retrouvait jadis, dans les jardins de monastères. Lorsque foulée aux pieds, la camomille dégage une odeur caractéristique qui la désigne comme une des plantes idéales à propager dans les jardins de personnes non-voyantes. Elle pousse aisément entre les pavés et les dalles des sentiers. La camomille produit une profusion de semences que l'on récolte uniquement sur les plants mûrs : le disque central prend à ce moment-là une apparence jaune brunâtre et les semences s'enlèvent facilement au toucher.

La camomille se propage facilement à partir de plants bien établis. Pour favoriser la reprise, il convient, dès la mi-août, de ne plus cueillir les inflorescences sur certains plants qu'on aura préalablement sélectionnés pour leur belle apparence et leur résistance aux maladies et aux infestations.

Usages internes : Les infusions de camomille demeurent un excellent remède contre les gastro-entérites, les ballonnements, les maux de ventre et elles sont très efficaces pour soulager les migraines les plus atroces. La meilleure utilisation de la tisane de camomille est, à mon avis, lorsque, pour casser une mauvaise grippe ou un rhume et aider à éliminer les toxines, on fait suer le malade sous les couvertures. La tisane de camomille devient alors une alliée très efficace; on la sert très chaude au malade emmitouflé sous les couvertures, ce qui augmente sensiblement sa température. Lors d'une telle intervention, il est indispensable de bien couvrir le malade et de prendre toutes les précautions pour qu'il ne prenne pas froid. Cette infusion combat également la fièvre et les règles douloureuses.

Usage externe : L'infusion de camomille combat l'inflammation des yeux et des paupières et les bains de sièges soulagent des hémorroïdes. On confectionne un petit oreiller empli de fleurs de camomille séchées qu'on réchauffe à la vapeur à l'aide d'une «marguerite». Appliqué sur l'estomac des nouveau-nés, ce petit oreiller soulage des coliques. L'oreiller s'utilise comme suit : posez la pochette sur le pyjama du bébé, langez-le et couchez-le sur le côté en maintenant sa position à l'aide d'un autre oreiller ou d'un coussin appuyé dans son dos. Votre poupon se calmera et s'endormira peu après, vous pourrez enfin vous rendormir, du moins pour quelques heures !

J'ajoute des fleurs de camomille dans la préparation de l'huile de millepertuis pour son pouvoir calmant sur les douleurs articulaires, rhumatismales et arthritiques (voir millepertuis).

Il est fascinant de constater à quel point la camomille possède des effets bénéfiques. À force de la cultiver, j'ai constaté qu'elle a des effets calmants sur les personnes qui la cueillent, et que les enfants turbulents tirent grand profit à son contact.

Le revitalisant à la camomille rend les cheveux plus clairs. On l'obtient en faisant macérer, pendant une heure, une poignée de fleurs dans un litre d'eau froide qu'on amène lentement à ébullition. Filtrez et utilisez immédiatement.

Huile de camomille : Après macération solaire de l'huile durant toute la saison estivale, faites chauffer le mélange deux heures au bain-marie en remuant de temps en temps. Passez en exprimant le jus des fleurs. Utilisez l'huile chaude en friction contre les crampes, les douleurs de la goutte et des rhumatismes. Les compresses d'huile très chaude viennent à bout des désagréments causés par les extinctions de voix.

Onguent à la camomille : L'onguent de camomille guérit les plaies mineures et les hémorroïdes. Il se fabrique ainsi :

1 tasse (250 ml) d'huile d'olive
150 grammes de cire d'abeille
3 poignées de fleurs

Amener à ébullition, retirer, couvrir et laisser reposer 48 heures. Réchauffer à nouveau, filtrer et mettre en pot.

Nota bene : Quelle que soit la plante utilisée, j'ajoute toujours à cette préparation une certaine quantité de propolis, antibiotique naturel sécrété par les abeilles; l'odeur qui se dégage du mélange à ce moment-là est sucrée et rassurante. Avant de mettre dans un pot, j'ajoute quelques gouttes de teinture de benjoin comme agent de conservation; deux gouttes suffiront à 25 grammes d'onguent. Le benjoin, substance aromatique et résineuse extraite d'un arbre appelé Styrax, prévient le rancissement.

Tanaisie commune *(Tanacetum vulgare)*

TANAISIE COMMUNE

Tanacetum vulgare

Famille : Composées.

Noms populaires : aranelle, barbotine, herbe amère, herbe aux vers, herbe de Saint-Marc, tanaisie crépue, tanaisie du lac Huron, tanaisie vulgaire, ténacée.

Hauteur : 60 à 120 cm.

Distance de plantation : 45 à 60 cm.

Floraison : fin juillet, début août.

Parties utilisées : les inflorescences et les feuilles.

Propriétés : antiseptique, digestif, emménagogue, insecticide, vermifuge.

Historique : Traditionnellement cultivée comme insecticide depuis le Moyen Âge, la tanaisie fut utilisée en mélange avec d'autres herbes pour balayer les planchers et les débarrasser des parasites pouvant s'y incruster. Dès 1557, elle est officiellement déclarée insecticide. Associée au sureau, on la trouvait alors particulièrement efficace en friction sur la viande pour repousser les mouches et les insectes. Les nombreux services domestiques qu'elle rendait alors lui valurent le titre d'*Arthemisia domestica*. Les Grecs la nommèrent *Athanasia*, de *athanaton* signifiant «immortel», sans doute à cause de la longévité de ses inflorescences qui contribue à faire de la tanaisie une des plantes favorites pour les bouquets d'hiver.

Ces qualités valurent à la tanaisie une réputation de plante funéraire parce qu'on la croyait capable de préserver les corps des défunts de la corruption. Pour commémorer une ancienne coutume du temps pascal, on offrait de petits gâteaux confectionnés avec la plante aux membres d'une même congrégation religieuse jouant une partie de balle-molle contre leurs cardinaux et évêques. Les «tansies», comme on se plaisait à les nommer, étaient confectionnés avec de jeunes feuilles de tanaisie et devaient, par leur amertume, freiner l'ardeur des jeunes novices.

Culture : On trouve habituellement la tanaisie dans les friches agricoles et forestières, en sol gras, riche en azote. Offrez-lui simplement une exposition ensoleillée ou mi-ombragée, en lui évitant les endroits constamment humides qu'elle tolère difficilement. La tanaisie se propage, au printemps, par division des touffes, ou encore par la semence. La rigidité de ses tiges, son port général et ses inflorescences qu'elle conserve même en hiver, en font une plante de choix pour les jardins d'hiver. Extrêmement vivaces, les plants fleurissent au mois d'août et les capitules floraux possèdent une couleur d'un jaune vif peu commun. Les feuilles pennées et alternes mesurent environ 120 cm de long. Subdivisé en une multitude de petites feuilles profondément dentelées, le feuillage de la tanaisie est très intéressant du point de vue ornemental.

J'associe souvent la tanaisie au chrysanthème *(Chrysanthemum)* et à l'hélénie *(Helenium)* mais il ne faudrait pas pour autant négliger ses compagnes les plus connues, la marjolaine, la sauge, l'estragon et l'alchémille, dont on l'entourait traditionnellement dans les jardins des monastères du Moyen Âge.

Usages externes : Les plants séchés la tête en bas servent à faire des bouquets d'hiver, des couronnes de fleurs ou encore à colorer des sachets. Une macération solaire des feuilles dans de l'huile d'olive durant trois semaines produit un bon insecticide. La tanaisie chasse les puces et les punaises et a été utilisée à bon escient depuis des siècles en litière pour les animaux parasités ou encore comme agent préventif entre les matelas. La tisane, à laquelle on ajoutera un peu de lait ou de crème afin d'en faciliter l'adhésion, peut également être vaporisée sur les plants infestés par les insectes. Des compresses de l'infusion appliquées sur les entorses donnent de bons résultats. Depuis fort longtemps, on reconnaît à la tanaisie des propriétés vermifuges, plus spécifiquement pour se débarrasser des oxyures et des ascaris (vers intestinaux).

Usages internes : Compte tenu de sa haute toxicité, la posologie de la tanaisie est difficile à ajuster. Elle provoque facilement des palpitations et des désagréments de toutes sortes, je vous recommande donc de ne jamais l'utiliser en tisane par voie interne, sans les conseils avertis d'un ou d'une herboriste chevronnée. Seulement, s'il advenait que vos petits soient infestés de vers, une infusion de la plante entière (40 grammes pour un litre d'eau salée) bouillie et infusée de 10 à 15 minutes peut être utilisée en lavement ou en compresses chaudes sur le ventre. Ce mélange est également efficace pour soigner les animaux domestiques.

Ortie dioïque *(Urtica dioïca)*

ORTIE DIOÏQUE
Urtica dioica

Famille : Urticacées.
Nom populaire : grande ortie.
Hauteur : 80 cm.
Distance de plantation : 30 à 60 cm.
Floraison : juin à septembre.
Parties utilisées : la plante entière.
Propriétés : antianémique, antidiabétique, anti-infectieux, chola-gogue, dépuratif, diurétique, hémostatique, révulsif, vasoconstric-teur.

Historique : Il est difficile de situer exactement le moment de la découverte de cette plante dans l'histoire de l'humanité; pourtant, il semble que les Grecs la connaissaient sous le nom d'*Alkalyphe* et les Romains sous celui d'*Urtica*. Nous savons toutefois, qu'avant l'apparition du lin, elle fournissait aux peuples germaniques et scandinaves la matière première pour la fabrication des tissus de textures fines à grossières, allant des chiffons de ménage aux cordages les plus grossiers. Aux XVIe et XVIIe siècles, les fibres de l'ortie étaient utilisées en Écosse pour tisser la literie domestique. L'*Universal Herbal* de 1832 fait état de la résistance des fibres de l'ortie pour les fitets de pêche. On se rappellera du conte d'Andersen, *La princesse et ses sept frères*, dans lequel la princesse tissait pour ses sept frères des manteaux d'ortie pour les libérer du mauvais sort qu'on leur avait jeté.

M. Grive dans son *Modern Herbal* souligne qu'au cours de la Première Guerre mondiale, l'Allemagne et l'Autriche furent à court de coton et, une fois de plus, la valeur de l'ortie en tant que substitut du coton (notamment celle des variétés dioïque *(U. dioïca)* et brûlante *(U. urens)* fut reconnue. En 1915, 1,3 million de kilo-grammes d'ortie furent récoltés, tandis qu'en 1916, on en récoltait le double, et ce, sans qu'aucune planification de la culture n'ait été entreprise. On attribue à la fibre de l'ortie une qualité comparable au meilleur coton égyptien et certains manufacturiers la considèrent supérieure pour la fabrication du velours. Bien que l'utilisation de l'ortie dans l'industrie textile manufacturière ait cessé dans le premier quart du XXe siècle, elle peut être retracée aussi loin qu'à l'âge de bronze. On ne saurait également oublier l'usage important de la fibre et son utilisation dans le secteur manufacturier du papier, de même que ses propriétés culinaires reconnues depuis 1661; les fromagers connaissent bien son utilité pour remplacer la présure d'origine animale. Malgré son allure rustique et rébarbative, l'ortie fut tout de même introduite et appréciée sous forme de thé dans les salons mondains. Aujourd'hui, rarement cultivée pour sa fibre, on la voit réapparaître sur le marché comme source commerciale importante de chlorophylle.

Culture : L'ortie est une plante envahissante qu'il convient de tenir un peu à l'écart du jardin en la contrôlant annuellement. Il est difficile de s'en débarrasser lorsqu'on l'introduit au jardin, mais les services qu'elle rend compensent bien les inconvénients qu'elle peut causer. En milieu urbain, il est possible de restreindre l'invasion de l'ortie en utilisant, autour de l'espace qu'on lui réserve, une bordure horticole (disponible dans les centres de jardinage), et en éliminant régulièrement et systématiquement les rejets s'avançant hors de cette zone. L'ortie possède un beau feuillage fortement dentelé muni de poils glanduleux. Une touffe d'ortie donne un cachet rustique aux alentours des vieux bâtiments ou des vieilles clôtures; d'ailleurs, c'est là qu'on la cultivait traditionnellement au Québec.

Je me souviens l'avoir souvent repérée lors de mes balades dans les campagnes québécoises, près des granges et des étables; les agriculteurs la placent ainsi afin d'en avoir à portée de la main comme supplément à la diète des volailles et des cochons et pour nettoyer des instruments utilisés en laiterie.

Cueillette : La plante est cueillie juste avant la floraison; il faudra profiter de cette occasion pour contrer l'envahissement par un sarclage sévère. Bien que l'ortie possède un feuillage attrayant, sachez qu'il faut la cueillir avec des gants... au sens propre du terme. Les aiguilles fines et quasi invisibles de la plante contiennent de l'acide formique qui brûle la peau et peut causer de fortes irritations chez certaines personnes sensibles aux allergies. Comme la majorité des plantes médicinales, l'ortie se cueille par temps sec, après la rosée; on sélectionne à ce moment-là les plants les plus sains, exempts d'insectes et, à l'aide d'une serpette ou d'un couteau tranchant, on les coupe à la base par bouquets. Il faut faire sécher les bouquets la tête en bas, dans un endroit aéré, ombragé ou mi-ombragé. Les semences, quant à elles, seront séchées au soleil sur une feuille de papier ou encore près d'une source de chaleur comme le dessus d'un poêle à bois.

Usages : Toutes les parties de l'ortie, tiges, feuilles, fleurs et racines, possèdent des propriétés médicinales. L'ortie est riche en fer et en magnésium; c'est pourquoi elle aide à combattre l'anémie et élève le taux d'hémoglobine dans le sang. Les femmes enceintes tirent un grand profit de la consommation de l'ortie comme supplément de fer à leur diète. Une tasse d'infusion par jour combat efficacement la fatigue et le stress.

Plusieurs excellentes recettes contiennent de l'ortie. On en fait des salades, des crudités, des potages et des mets cuits au four dans lesquels on l'apprête de la même manière que les épinards. À partir du jus de la plante fraîche, je fabrique des glaçons que les enfants adorent ajouter à leur jus de fruits. La couleur verte des glaçons contraste évidemment avec la couleur des différents jus de fruits et je me garde bien de me réjouir devant eux de ce magnifique apport de chlorophylle dans leur alimentation.

Pour stimuler la pousse des cheveux, on fabrique un revitalisant avec une décoction d'ortie ou encore avec les racines bouillies dans du vinaigre. Une teinture composée à parties égales d'ortie et de romarin favorise la repousse des cheveux, si on frictionne régulièrement le cuir chevelu avec ce mélange.

J'utilise également l'ortie contre les aphtes de la bouche et le muguet, en imbibant d'infusion concentrée un coton stérile avec lequel je badigeonne l'intérieur de la bouche. Les résultats sont aussi miraculeux qu'avec les pétales de roses. Connu depuis des générations, le sirop d'ortie est obtenu en faisant bouillir le suc de la plante fraîche dans du sucre jusqu'à consistance de sirop.

Considérée bénéfique depuis l'Antiquité, la flagellation théra-peutique, remède sans précédent contre les rhumatismes, ne plaît pas à tout le monde; il n'en demeure pas moins qu'elle est extrê-mement efficace et que les plus courageux ne regretteront pas leur bravoure. Plus facile à utiliser, la décoction de la racine et les com-presses chaudes des feuilles triturées s'utilisent également pour baigner les parties affectées par les douleurs rhumatismales et arthritiques.

Les vertus de l'ortie ne se résument pas à cela; on confectionne également contre les saignements de nez de petites compresses que l'on place à l'intérieur de la narine après les avoir imbibées soit de l'infusion de la plante séchée, de la teinture de la plante fraîche ou encore du suc de la plante fraîche. La poudre de la racine peut également être prisée en cas de saignement de nez.

Tonique pour les cheveux (N° 1) : Cette lotion capillaire combat la chute des cheveux et les pellicules.

50 grammes de racine
50 grammes de feuilles
Faire macérer 15 jours dans un litre d'alcool à 45 p. 100, filtrer et embouteiller.

Tonique pour les cheveux (N° 2) : Faire mijoter durant deux heures une poignée de feuilles d'ortie dans un litre d'eau. Filtrer, refroidir et mettre en bouteille. Imbiber la chevelure et frictionner tous les soirs avec la lotion. Ce tonique prévient la chute des cheveux et les rend plus doux et soyeux.

Tonique pour les cheveux (N° 3) : Fabriquer le même tonique avec la plante entière, mais cette fois, remplacer l'eau par un mélange égal de vinaigre et d'eau. Filtrer et ajouter de l'eau de Cologne.

56

Tonique pour les cheveux (N° 4) : Imprégner la brosse à cheveux avec le jus frais de l'ortie. Ce jus se conserve au congélateur.

Teinture d'ortie : Faire macérer durant une semaine une quantité égale de racines d'ortie et d'alcool à 40 p. 100. Il est préférable de récolter les racines au printemps ou à l'automne puisque c'est le moment de l'année où les propriétés médicinales se concentrent dans les parties souterraines des végétaux. La teinture d'ortie s'emploie en compresses sur les brûlures. Si, dans un cas urgent, la teinture n'était pas disponible, l'infusion refroidie appliquée en lotion pourrait être utilisée à la place.

Molène vulgaire *(Verbascum thapsus)*

MOLÈNE VULGAIRE

Verbascum thapsus

Famille : Scrofuliacées.

Noms populaires : bonhomme, bouillée, bouillon blanc, cierge de Notre-Dame, grande molène, molène, molène commune, molène médicinale, oreilles de moutons.

Hauteur : 1 à 2 mètres.

Distance de plantation : 30 à 60 cm.

Floraison : juin à août.

Parties utilisées : feuilles et fleurs.

Propriétés : astringent, diurétique, émollient, expectorant, sudorifique.

Historique : Parkinson raconte qu'on appelait autrefois la molène *Latines Candela regia* et *Candelaria*, parce que les Anciens utilisaient les tiges trempées dans l'huile pour en fabriquer des cierges et des torches qu'on brûlait lors des cérémonies liturgiques et des funérailles. On prétendait anciennement que les sorcières l'utilisaient lors de leurs incantations. Le nom latin *Verbascum*, dérivé du latin *barba* (barbe), fait allusion à l'apparence de son feuillage; quant à son appellation française, elle ferait plutôt allusion à la mollesse des feuilles rappelant le moelleux d'un morceau de drap. La médecine grecque, d'Hypocrate à Dioscoride, reconnaissait déjà ses vertus émollientes. Ce dernier prescrivait la décoction de la racine, alors qu'au Moyen Âge, sainte Hildegarde et ses confrères la recommandaient pour ses bienfaits contre les maux de gorge. Ses propriétés émollientes, également bénéfiques contre les grippes et les rhumes, semblent avoir été reconnues depuis la plus haute Antiquité.

De l'Europe à l'Asie, on attribua à la molène le pouvoir de chasser les mauvais esprits. En Inde, on lui confère à peu près les mêmes pouvoirs que nos traditions occidentales ont accordé au mille-pertuis, soit ceux de chasser les mauvais esprits et de se prémunir contre la magie. Rappelons-nous les grands classiques : Ulysse ne s'est-il pas protégé avec la molène contre les visées de Circé?

Culture : La molène est une plante bisannuelle haute et élancée dont les tiges se terminent par des inflorescences jaune soufre s'épanouissant de juillet à août. Les fleurs et les feuilles dégagent une odeur suave et présentent un aspect velouté, gris verdâtre, extrêmement doux au toucher. À la première année de culture, il n'apparaît qu'une simple rosette de feuilles basses, épaisses et charnues. La seconde année, des tiges s'érigent, à partir du centre de la rosette de feuilles, lesquelles porteront gracieusement les épis de fleurs.

Il existe plusieurs variétés de molène dont quelques cultivars offrant des variétés de couleur rose, orange, ambre, lavande, et mauve. Les variétés à couleur blanche sont plus rares et plus difficiles à se procurer. Cependant, seule la variété V. thapsus possède des vertus médicinales.

La molène préfère une situation ensoleillée, un sol profond, sec et bien drainé. La culture de cette bisannuelle est facile; il suffit de la garder exempte de mauvaises herbes et d'éviter de la transplanter dans un sol froid et humide. Étant donné sa grande taille, on retrouve souvent la molène en massif, isolée, ou encore à l'arrière-plan des plates-bandes.

La vie du plant n'étant souvent pas très longue, il serait profitable, afin d'assurer la plantation régulière de jeunes plants, de sélectionner une tige porteuse de semences que l'on cueillera à maturité. Il arrive cependant que la molène se reproduise d'elle-même par les semences et peut, si non contrôlée, devenir envahissante. Les feuilles sont sujettes aux attaques de certains champignons, notamment le *Peronospora sordida*. Dans ce cas, une pulvérisation avec une infusion de prêle *(Equisetum arvense)*, répétée régulièrement, peut en venir à bout. Il arrive également que la plante soit infestée par les limaces dont on se débarrasse facilement en disposant une assiette de bière à la base du plant. Les limaces adorent la bière et s'y noient gaiement; on peut encore enduire de margarine l'envers des feuilles inférieures.

Au jardin, l'effet produit par la molène est des plus réussis; ses longues tiges souples finissent toujours par se contorsionner élégamment et les inflorescences ont l'air de venir s'y déposer par on ne sait quelle douce magie. Elle cohabite bien avec la rose tré-mière, l'aconit et l'Iris germanica. À ses pieds, les centaurées, les iberis et le serpolet se plaisent à son voisinage. On peut envisager également de la placer de façon à recouvrir une section de bulbes printaniers qu'elle dissimulera aisément de ses longues tiges le moment venu. Les fleurs doivent être cueillies au fur et à mesure de leur éclosion, tandis que les feuilles se récoltent en automne. Fleurs et feuilles doivent être séchées à l'ombre dans un endroit bien aéré.

Usages internes : Depuis l'Antiquité, on reconnaît à l'infusion de molène une grande valeur dans le traitement des grippes et des rhumes.

Cependant, une précaution s'impose lors de l'utilisation de ce thé : on doit le filtrer à travers une mousseline pour en éliminer les poils qui se seraient détachés des feuilles et des fleurs. Ceux-ci pourraient éventuellement causer une irritation buccale fort désa-gréable. Les bénéfices que l'on retire de la molène sont multiples, mais c'est probablement pour ses propriétés émollientes et expec-torantes qu'elle est le plus utilisée. L'infusion de molène à laquelle on associe avantageusement les fleurs de mauve et de violette s'utilise contre la grippe, les mauvaises toux, les rhumes les plus divers et les plus féroces. Une infusion d'une poignée de feuilles séchées viendra à bout des états les plus virulents des irritations des voies respiratoires avec quintes de toux. Dans le même ordre d'idée, des cigarettes de molène sont bénéfiques contre la conges-tion pulmonaire, l'asthme et les toux spasmodiques. Pour les mêmes problèmes, les Amérindiens fumaient les feuilles du vinai-grier *(Rhus typhina)* qui sont, à mon avis, plus aromatiques.

Usages externes : Les propriétés émollientes de la molène en font un médicament efficace pour le traitement des hémorroïdes, des dartres et des furoncles. Il s'agit simplement d'en fabriquer un cataplasme à partir des feuilles cuites qu'on appliquera tout sim-plement sur les parties affectées.

Huile de molène : L'huile de molène est efficace contre les maux d'oreilles, les otites, l'eczéma de l'oreille et du canal externe et elle agit comme bactéricide.

Faire macérer au soleil pendant environ une trentaine de jours des fleurs de molène dans une huile d'olive de bonne qualité, pressée à froid. Utiliser un contenant fermant hermétiquement. Filtrer et embouteiller. Conserver dans un endroit frais et sombre. Introduire dans l'oreille deux à trois gouttes d'huile légèrement réchauffée, deux à trois fois par jour en fermant l'orifice à l'aide d'un tampon d'ouate.

La décoction de la racine combat les maux de dents, tandis que le jus de molène et la poudre de racine séchée font disparaître les verrues.

CONSOUDE OFFICINALE

Symphytum officinale

Famille : Borraginacées.

Noms populaires : grande consoude, herbe aux coupures, langue de vache, oreille d'âne, toute-bonne.

Hauteur : 30 à 120 cm.

Distance de plantation : 50 cm.

Floraison : août.

Parties utilisées : la plante entière.

Propriétés : adoucissant, astringent, cicatrisant, émollient, expectorant, reconstituant des tissus, tonique, vulnéraire.

Historique : Appréciée depuis le Moyen Âge pour ses vertus médicinales, mais principalement pour ses pouvoirs régénérateurs des tissus et de guérison des blessures tant internes qu'externes, la consoude mérite notre attention voire notre respect. Le nom botanique *Symphytum* est un dérivé du grec *symphyo* qui signifie «unir». La réputation de la consoude, issue de ses propriétés vulnéraires, est en grande partie due au fait qu'elle diminue l'inflammation, facilitant ainsi la guérison. Employée depuis des millénaires, la consoude guérit les blessures, réduit les ulcères et même ressoude les fractures. De récentes études ont démontré que la consoude est une source importante de vitamine B_{12}, en plus des vitamines A et C, et qu'elle peut représenter une source potentielle de protéines. Certaines parties de la plante en contiennent en effet jusqu'à 35 p. 100, ce qui représente à peu près le même pourcentage que dans la fève soya et 10 p. 100 de plus que dans le fromage Cheddar.

Culture : La consoude se cultive bien en milieu humide ensoleillé où elle produit des plantes luxuriantes d'un vert intense. À défaut d'un terrain humide, une bonne terre meuble et profonde lui conviendra, si on l'arrose généreusement et fréquemment. En milieu sec ou en terre sablonneuse, elle croîtra tout de même, mais au détriment de sa taille et de son apparence; cependant, des arro-

Consoude officinale *(Symphytum officinale)*

sages fréquents et assidus pourraient remédier à cette situation. Pour un usage domestique, un ou deux plants seront amplement suffisants. Lorsqu'on introduit la consoude au jardin, dites-vous bien qu'il est pratiquement impossible de l'en déloger compte tenu du fait que la racine pénètre profondément dans le sol et qu'elle peut s'enfoncer parfois jusqu'à cinq mètres. Pourtant, il est difficile d'entrevoir un jardin de plantes médicinales sans sa présence. Il est toutefois possible de limiter sa croissance par des prélèvements annuels de la racine à de bonnes profondeur afin de limiter la production de rejets ou encore, en sectionnant en deux et même parfois en trois et en quatre, les plants devenus trop gros. Après la floraison, rabattre les tiges au ras du sol.

Sa résistance, sa hauteur, son port, ainsi que sa prédilection pour l'humidité dictent son installation autour des points d'eau, des étangs, des ruisseaux, mais également, dans les zones qu'on aimerait assécher ou encore, près des sorties d'eau où elle peut dissimuler la tuyauterie tout en profitant de l'humidité environnante.

D'un point de vue ornemental, on ne cultive pas la plante pour ses fleurs, assez petites d'ailleurs, en forme de clochettes rose pourpré, mais plutôt pour son magnifique feuillage s'élargissant progressivement vers le bas. On pourrait l'entourer d'autres plantes adaptées aux mêmes conditions, par exemple, l'Iris versicolore et l'Iris germanica, l'Inule aulnée *(Inula helenium),* ou encore la planter au pied de certains arbustes tels que le Sureau noir *(Sambucus nigra).*

Usages internes : L'infusion de feuilles de consoude est excellente contre l'asthme et la bronchite; en gargarisme, elle est efficace contre les maux de gorge et le saignement des gencives.

Usages externes : En application externe, la consoude fait tout simplement des miracles. Une trituration de la racine appliquée en emplâtre tiède ou chaud sur les blessures, même ouvertes, en reconstitue les tissus. Sur les entorses et les fractures, l'emplâtre s'avère d'un grand secours car il accélère la régénération des tissus et ressoude les os, d'où son nom.

Une préparation de 100 grammes de racines macérées dans un litre d'eau, durant 12 à 24 heures, sert à laver les plaies, à humidifier des compresses qu'on appliquera sur des plaies ou encore à des douches vaginales contre la leucorrhée et le vaginisme.

La racine fraîche rapée, appliquée sur les brûlures, en calme la douleur. On en fait un onguent dont on aura peine à se passer pour les gerçures, les ecchymoses, les engelures au premier degré, les pieds d'athlètes, l'herpès et les «bobos» de tout acabit. **Essentielle dans la pharmacie domestique.**

Huile de consoude et de Guimauve officinale *(Althéa officinalis)* : Chauffer légèrement une poignée de racines fraîches de consoude et une poignée de racines de Guimauve officinale broyées dans une tasse (250 ml) d'huile d'olive pressée à froid et une tasse (250 ml) de vin blanc. Utiliser une casserole émaillée. Laisser macérer 12 heures. Filtrer. Conserver au réfrigérateur. Cette huile s'applique froide sur les brulûres et les coups de soleil. Très efficace.

Usage culinaire : Les feuilles se mangent en salade ou cuites comme des épinards tandis que les jeunes tiges s'apprêtent comme des asperges ou encore en «tempura» (enrobées de pâte et frites dans l'huile). Associée aux racines de chicorée et de pissenlit, la racine de consoude fait un excellent café si on procède de la façon suivante : après avoir fait sécher les racines, on les fait calciner au four pour ensuite les moudre avant d'en jeter une cuillerée à soupe (25 ml) dans un demi-litre d'eau bouillante. Infuser pendant cinq minutes et enfin filtrer au filtre de papier avant de servir.

Usage horticole : Au potager, les feuilles de consoude fanées peuvent servir de paillis entre les rangées.

Purin de consoude : Le purin de feuilles de consoude est couramment utilisé par les jardiniers et jardinières pour fertiliser les plants de tomates, de maïs et de pommes de terre en cours de saison. Le purin se prépare en faisant tremper les feuilles dans un baril d'eau pour une période d'environ quatre semaines. Arroser ensuite la terre autour des plants sans jamais arroser le feuillage que la solution pourrait endommager.

Huile de consoude : À utiliser contre les irritations cutanées. Couper les feuilles fraîchement cueillies en morceaux de 2 à 3 cm. Tasser les feuilles dans un contenant de verre opaque et fermer hermétiquement. Étiqueter et dater. Remiser pour une période de deux ans sans jamais ouvrir le pot. Vous obtiendrez après cette période un liquide visqueux et ambré qui contiendra encore quelques sédiments. Filtrer avant de le conserver dans un plus petit contenant. Les personnes souffrant d'eczéma profiteront grandement de cette huile.

Monarde écarlate *(Monarda didyma)*

MONARDE ÉCARLATE
Monarda didyma

Famille : Labiées.
Noms populaires : bermagote, thé d'Indien, thé d'Oswego.
Hauteur : 30 à 60 cm.
Distance de plantation : 30 cm.
Floraison : juin à septembre.
Parties utilisées : les feuilles et les fleurs.
Propriétés : antiseptique, augmente la circulation sanguine, carminatif, diaphorétique, diurétique, emménagogue, stimulant.

Historique : Le nom générique de la monarde rappelle le nom du médecin espagnol, Nicolas Monardes, qui, au XVIe siècle s'intéressa aux plantes du Nouveau Monde. L'espèce *Monarda didyma* s'apparente à la variété sauvage *Monarda fistulosa* (Monarde fistuleuse), communément appelée thé d'Oswego, mais les opinions divergent quant à savoir laquelle des monardes fut d'abord utilisée comme substitut du thé. C'est à la rivière Oswego, dans la région américaine du lac Ontario, qu'on doit le nom du thé désormais devenu célèbre. Lors du Boston Tea Party, en 1773, cette région a fourni une abondante quantité de monarde qui, par la suite, remplacera dans maints foyers canadiens-français et américains le thé des Indes devenu trop cher.

La monarde fut largement utilisée dans la médecine amérindienne comme antispasmodique, ce qui contribua sans aucun doute à son introduction rapide dans les premières descriptions scientifiques du continent nord-américain. Source importante de phénol, notamment de thymol, principe actif que l'on retrouve également dans le thym, la monarde pourrait représenter pour les pays nordiques une importante source de cette substance médicinale encore très recherchée en pharmacologie et pourrait donner lieu à une culture commerciale spécialisée fort intéressante.

Culture : La monarde est réputée pour son odeur de menthe. Elle croît en situation semi-ombragée mais tolère bien le plein ensoleillement, et préfère les sols humides, riches en matières organiques. Un apport de compost ou un paillis de feuilles lui est bénéfique au printemps. Une protection hivernale est parfois nécessaire durant les deux premières années de culture et les racines doivent être divisées à toutes les trois ou quatre années de culture afin de revitaliser les plants qui ont tendance, en vieillissant, à se propager en touffes serrées. La méthode consiste à dégager le centre du massif et à repiquer les spécimens à une distance de 30 à 35 cm. Pour prolonger la période de floraison, on retire les fleurs fanées avant qu'elles ne produisent une semence.

Les feuilles de la monarde sont ovales et lancéolées; les fleurs, variant du rose au pourpre, sont réunies en pseudo-capitules et s'épanouissent à partir du centre. Il existe plusieurs variétés de monarde offrant une palette de couleurs fort intéressante : «Adam» de couleur écarlate, «Cambridge Scarlet» écarlate vif, «Snow Queen» de couleur blanche et «Prairies Brand», rouge saumon. Habituellement, toutes les variétés de monarde sont résistantes aux maladies et aux infestations de toutes sortes.

Au jardin, la monarde produit un effet remarquable avec les dahlias, les iris et les salvias tout autant qu'en culture isolée ou encore avec d'autres variétés de différentes couleurs. Favorite des abeilles, des papillons et des oiseaux-mouches, son parfum les attire tous, ce qui en fait un endroit tout à fait magique.

Usages internes : Une infusion de feuilles de monarde réchauffe et stimule. Elle soulage des flatulences, adoucit la gorge et guérit les rhumes. L'infusion soulage également les nausées et les douleurs menstruelles. Agréable au goût, elle est populaire auprès des enfants.

ONAGRE COMMUNE
Œnothera biennis

Famille : Onagracées.
Noms populaires : énothère, herbe aux ânes, œnothère, ona-graire.
Hauteur : 1 mètre.
Distance de plantation : 30 cm.
Floraison : juillet.
Parties utilisées : la plante entière.
Propriétés : antiphlogistique, antispasmodique, astringent, calmant, sédatif.

Historique : Native du continent américain, l'onagre fut intro-duite en Europe en 1614 par le jardin botanique de Padoue. Elle fut alors cultivée en Angleterre, où on y appréciait notamment sa valeur nutritive. Depuis fort longtemps déjà, les Amérindiens uti-lisaient la racine dans leur alimentation. Peu après son introduc-tion en Europe, les Allemands consommaient la racine d'onagre bouillie et employaient les jeunes pousses en salade. Le nom générique *Œnothera* est un dérivé du grec *oinos* qui signifie «vin», et de *thera*, «chasser». Théophraste nommait *Œnothera* certaines plantes dont on mangeait les racines pour relever le goût du vin; cependant, certains prétendent qu'elle dissiperait plutôt les effets du vin.

Les onagres sont des plantes semi-nocturnes; leurs fleurs s'ouvrent presque instantanément au coucher du soleil mais plus encore, dans l'obscurité, les pétales émettent une lumière phos-phorescente. Le frère Marie-Victorin se plaisait à les appeler «ces Hiboux des fleurs» car, comme il le décrit dans sa Flore Lauren-tienne, «elles déploient leurs grands pétales d'or, et constellent la dune d'innombrables croix de Malte immobiles au bout des tiges purpurines».

Culture : L'onagre se cultive dans à peu près n'importe quelle situation, bien qu'elle donne de meilleurs résultats en sol sablon-

Onagre commune *(Œnothera biennis)*

neux, fertile, bien drainé et exposé au soleil. La plante résiste bien à la sécheresse et ne nécessite donc pas d'arrosages fréquents. Bien que des arrosages abondants puissent être nécessaires en période d'extrême sécheresse, n'oubliez pas que l'onagre n'apprécie pas une humidité constante. La croissance de la plante engendre continuellement de nouvelles formes et si l'on ne tient pas particulièrement à voir apparaître une plante métamorphosée, il est préférable de la propager par division de la racine plutôt que par ensemencement. Les jardiniers amoureux des caprices de la nature éprouveront sans doute un grand plaisir à observer le spectacle inoubliable de la transformation de la plante et adopteront, en toute connaissance de cause, les variétés rustiques. Mais attention ! L'onagre peut facilement devenir envahissante si on la laisse produire ses semences.

Du point de vue horticole, la variété «Lamarkiana», aux fleurs plus larges et aux couleurs plus fines, offre un plus grand intérêt. L'onagre, dont le feuillage lancéolé vert moyen rougit en fin de saison, pousse à partir d'une seule tige. Les fleurs, en forme de boutons cylindriques d'un beau jaune brillant, deviennent progressivement dorées en vieillissant. Ces caractéristiques permettent d'associer l'onagre avec le Delphinium bleu (pied-d'alouette), le pigamon *(Thalictrum dipterocarpum)* et le Lis blanc *(Lilium candidum)*.

Usages : Pour le traitement des plaies mineures et des éruptions cutanées, le cataplasme d'onagre s'avère efficace au même titre que l'onguent fait avec la plante entière. Ses propriétés antispasmodiques et sédatives peuvent être utilisées à bon escient sous forme d'infusion en cas de grippes, rhumes, asthme et mauvaise toux. On lui attribue le pouvoir de calmer les dépressions d'origine nerveuse en agissant sur les toxines alimentaires issues d'une mauvaise diète et d'une tension nerveuse prolongée.

Usage alimentaire : Toutes les parties de la plante sont comestibles. Les jeunes racines bouillies sont mangées chaudes ou froides, en «tempura», en salade, ou servies comme crudités.

PLANTES AROMATIQUES

Estragon *(Artemisia dracunculus)*

ESTRAGON
Artemisia dracunculus

Famille : Composées.
Noms populaires : armoise estragon, arragone, dragon, fargon, herbe dragonne, herbe au dragon, serpentine.
Hauteur : 20 à 40 cm.
Distance de plantation : 30 à 40 cm.
Floraison : août.
Parties utilisées : la plante entière.
Propriétés : anti-arthritique, antispasmodique, digestif, diurétique, emménagogue, stimulant général, stomachique, vermifuge.

Historique : De l'arabe *tarkhoun* et du latin *dracunculus*, signifiant «le petit dragon», pour devenir ensuite «estragon» en vieux français puis enfin, herbe au dragon, l'estragon était autrefois reconnu pour ses pouvoirs contre les blessures causées par les morsures venimeuses. Originaire d'Asie centrale, plus précisément de la Tartarie, il fut introduit en Europe occidentale au temps des croisades. L'estragon est un excellent condiment, hautement prisé dans la cuisine française dont il constitue un élément essentiel. En effet, il sert de base aux sauces les plus réputées, entre autres, la béarnaise, la hollandaise et la mousseline d'estragon. L'estragon est aujourd'hui cultivé commercialement en Europe et aux États-Unis. Il en existe deux variétés : l'estragon français ou estragon vrai, aux feuilles souples, brillantes et d'un vert profond, et l'estragon russe d'apparence et d'arôme beaucoup moins intéressants.

Culture : À propos de la culture de l'estragon, il faudra se rappeler que cette plante ne se reproduit pas à partir de la semence, mais à partir de la division de la racine ou encore par le prélèvement de boutures sur un plant mère en bonne santé. Les plants vivent plusieurs années, mais leur vitalité se dissipe peu à peu. Afin de s'assurer un approvisionnement constant ainsi qu'une qualité aromatique supérieure, les jardiniers expérimentés repiquent habituellement de nouveaux plants chaque année. L'estragon se cultive en exposition ensoleillée. Les sols légers, voire pauvres, lui sont favorables et contribuent au raffinement de ses huiles éthériques alors que les sols humides lui sont très souvent mortels. Après avoir rabattu les plants à quelques centimètres du sol, un paillage à la base leur assurera une bonne protection hivernale. Selon les conditions du sol, il peut être nécessaire d'amender avec un peu de mousse de tourbe.

Comme la plupart des fines herbes, l'estragon se cultive bien à l'intérieur. Il est ainsi facile de s'approvisionner régulièrement de la plante fraîche, mais on peut aussi faire sécher l'estragon et même le congeler. Pour ce faire, on plonge les petits bouquets environ 50 secondes dans une eau bouillante non salé et, immédiatement après, dans l'eau glacée. Enfin, on détache les feuilles des tiges, et après les avoir légèrement essorées et mises dans des sacs appropriés, on les conserve au congélateur. Cette méthode convient également à la ciboulette, à l'aneth et au basilic.

L'intérêt ornemental de l'estragon ne se situe pas au niveau de la floraison, plutôt insignifiante par sa taille et peu attrayante par la couleur blanc verdâtre de ses panicules lâches, mais au niveau de son élégant feuillage élancé gris vert, qui facilite son association avec d'autres plantes.

Au jardin, l'estragon se place bien devant les roses trémières et les digitales; il côtoie agréablement les chrysanthèmes (Chrysanthemum), la monarde écarlate (Monarda didyma), le souci officinal (Calendula officinalis), l'alchemille commune (Alchemilla vulgaris), la marjolaine (Origanum marjoranum) ou encore le thym (Thymus vulgare), le persil et la mélisse. On le cultive aussi isolément ou en boîtes à fleurs placées aux fenêtres ensoleillées.

Usages : En infusion, l'estragon stimule l'appétit, prévient les fermentations intestinales, les ballonnements, les aigreurs d'estomac; il régularise le cycle menstruel et garde exempt de vers vos petits «dragons» hyperactifs. Contre le hoquet, une simple feuille fraîche mâchouillée fera l'affaire, sinon l'infusion sera de rigueur.

En cataplasme, l'estragon combat les maux de dents. Faire

tremper une compresse dans une décoction refroidie de la racine et appliquer sur la joue.

Usages culinaires : L'utilisation de l'estragon dans les salades, les vinaigrettes, les omelettes, les marinades pour les viandes, dans les farces pour les poissons et les volailles, n'est certainement plus à décrire. Les asperges et les artichauts sont délicieux lorsqu'ils sont accompagnés de beurre d'estragon.

L'estragon peut remplacer efficacement le sel dans l'alimentation des personnes soumises à un régime sans sel.

Quant au vinaigre d'estragon, bien connu des amateurs, il existe en centaines de variantes toutes plus intéressantes les unes que les autres. J'en donnerai ici deux exemples :

Vinaigre d'estragon (N° 1) :

1 c. à soupe d'estragon séché ou de feuilles fraîches
Le zeste d'un demi-citron
2 à 3 clous de girofle
Vin blanc ou vinaigre de cidre

Déposer l'estragon dans un contenant de verre de deux litres avec les clous de girofle et le zeste de citron. Remplir de vin ou de vinaigre. Fermer hermétiquement et laisser macérer au soleil pendant environ deux semaines. Verser le contenu et extraire le liquide des feuilles. Passer à travers un filtre de papier et fermer hermétiquement. Utiliser un vinaige de très bonne qualité.

Vinaigre d'estragon (N° 2) :

Remplir un contenant de verre de feuilles fraîches d'estragon, préalablement séchées au four à très basse température. Couvrir les feuilles de vinaigre et laisser macérer pendant une semaine. Filtrer et embouteiller. Utiliser un vinaigre de très bonne qualité.

Digestif à l'estragon :

1 litre de vodka
40 grammes de feuilles fraîches d'estragon
1 bâton de vanille
300 grammes de sucre

Faire macérer pendant 30 jours. Agiter de temps à autre. Filtrer.

Sandwich au fromage à l'estragon et à la ciboulette :

250 grammes de fromage en crème
2 c. à café d'estragon
2 c. à café de ciboulette

Mélanger. Attendre 30 minutes avant de tartiner la préparation sur du pain ou sur des biscottes. Délicieux avec les côtes de céleri.

LAVANDE ANGLAISE

Lavandula officinalis / L. vera / L. angustifolia

Famille : Labiées.

Noms populaires : aspic, espidet, faux nard, grande lavande, lavande française, lavande vraie, nard d'Italie, spic.

Hauteur : 30 à 60 cm.

Distance de plantation : 40 à 60 cm.

Floraison : juillet à septembre.

Parties utilisées : sommités fleuries.

Propriétés : analgésique, antispasmodique, bactéricide, diurétique, emménagogue, stimulant, vermifuge.

Historique : L'histoire de la lavande remonte à l'ère préchrétienne. Les Grecs l'auraient incorrectement appelée «nard», la confondant avec une plante exotique originaire d'Asie mineure. Les Romains, à qui on attribue les premières utilisations de la plante, l'incorporaient à leurs huiles de bain et à leurs savons. En fait, son nom générique viendrait du latin *lavare,* signifiant «laver». La littérature confirme l'utilisation des fleurs par les Arabes comme expectorant et antispasmodique.

Il existe plusieurs espèces de lavande dont les deux principales sont la Lavande anglaise et la Lavande française. Tentons d'éclaircir la confusion qui règne concernant ces espèces notamment leur appellation latine que maintes personnes ont tenté un jour ou l'autre d'élucider.

Tout d'abord, la Lavande anglaise, qui a été classifiée sous le nom de *Lavandula vera* ou Lavande vraie, porte aussi les noms de *Lavandula angustifolia* (Grande Lavande) et *Lavandula officinalis* (Lavande vraie). On ne s'étonnera donc pas de constater que ces appellations sont indistinctement utilisées dans divers catalogues de semences et chez certains grainiers. Bien que postérieure à la découverte de l'espèce française, il n'en demeure pas moins que l'utilisation de la Lavande anglaise comme plante domestique et cosmétique remonte au XIIe siècle. Plusieurs variétés horticoles de l'espèce anglaise ont été développées au XVIIIe siècle pour ensuite

Lavande anglaise *(Lavandula officinalis)*

se raréfier et disparaître peu à peu. La délicatesse de son parfum est considérée, par l'industrie, supérieure à celui de la Lavande française.

La Lavande française, désignée sous l'appellation *Lavandula stœchas* ou Lavande des îles d'Hyères, îles que les romains appelaient les «Stœchades», forme un très joli petit arbuste aux fleurs pourpre violacé et aux feuilles d'un vert velouté, et dont l'odeur se rapproche plus de celle du romarin que de celle des autres lavandes. Introduite dans la London Pharmacopœia en 1746, la *Lavandula stœchas* sera progressivement remplacée au XVIIIe siècle par la *Lavandula angustifolia*. Malgré cela, les historiens confirment que c'est la Lavande française qui, au Moyen Âge, était incorporée dans le célèbre «Vinaigre des quatre voleurs». À Toulouse, au cours de la grande peste de 1630, d'astucieux voleurs eurent la vie sauve en échange de la recette d'un vinaigre fabriqué avec de la sauge, du thym, de la lavande et du romarin, et dont ils s'enduisaient le corps pour contrer toute contagion quand ils détroussaient les cadavres. Le célèbre mélange dont il existe encore plusieurs versions s'appelle toujours «Vinaigre des quatre voleurs». En Espagne et au Portugal la lavande est très abondante et, lors de grandes occasions, on l'utilisait pour saupoudrer les planchers avant de les balayer afin de chasser les mauvais esprits ou du moins les déloger le temps des festivités.

Qu'elle appartienne à l'un ou à l'autre groupe, la lavande connaîtra une popularité peu commune et sera l'objet d'un véritable engouement. Durant plusieurs siècles, elle sera considérée comme une panacée, et sera utilisée pour tout, parfois malheureusement à tort. Son efficacité pour combattre les infestations de poux en fera une grande alliée des ménagères du Moyen Âge, au temps où le manque d'hygiène domestique et publique était la cause de maladies et de graves inconvénients.

Culture : Contrairement à la croyance populaire, la lavande est relativement facile à cultiver. Elle demande un sol ordinaire, friable, bien drainé et une exposition ensoleillée. Elle croît mieux dans un sol sablonneux ou graveleux et donne de très bons résultats lorsqu'on l'installe dans un terrain en pente exposé au sud/sud-ouest. Un sol trop riche nuirait à la formation de ses huiles éthériques et la plante deviendrait luxuriante, peu odorante et afficherait un développement foliaire exagéré. Au Québec, ses pires ennemis sont, sans contredit, l'humidité et le gel.

Compte tenu de ces paramètres, le choix de l'emplacement s'avère fondamental et, pour recevoir la lavande, le terrain doit être préparé par un désherbage énergique l'automne précédant son repiquage. Les mauvaises herbes seront brûlées et les cendres épandues sur la surface choisie. Puis, un apport de matières organiques, de préférence un paillis, devrait être étendu à l'emplacement désigné, afin d'empêcher la repousse rapide des mauvaises herbes qui nuiraient considérablement à la culture projetée. Au printemps, si on désire les repiquer en rangées, on installera les jeunes plants en position nord/sud, en laissant environ 30 cm de chaque côté. La première année de culture, la lavande doit être taillée afin d'empêcher la floraison et pour permettre le développement du plant ainsi que la formation de tiges latérales. La multiplication de la lavande, qui devient nécessaire après la cinquième année de culture, se pratique toutefois chaque année par un bouturage automnal ou encore par division de la racine, afin d'assurer le remplacement des vieux plants. De plus, la lavande nécessite des tailles régulières en cours de saison. Il faudra d'abord retirer les fleurs fanées et tailler légèrement les plants chaque année après la floraison. Tôt au printemps, on rabat sévèrement les plantes endommagées en tentant de leur redonner un port buissonnant. Les vieux plants seront brûlés à l'automne et les cendres épandues sur place; cette opération sera suivie d'un léger bêchage et d'un apport de fumier. On installera ensuite les nouveaux plants au printemps suivant. En climat nordique, il est préférable de protéger les plants durant l'hiver par un bon paillis ou encore de les mettre en pots que l'on conservera à l'intérieur dans un endroit frais.

Au jardin, on cultive la lavande isolément, en petit massif ou encore en rangée formant souvent des haies basses autour des plates-bandes de fines herbes. La lavande offre une multitude de possibilités et côtoie aisément un grand nombre de plantes telles que les œillets, les roses, l'armoise; on la retrouve avantageusement au pied des clématites, à côté du romarin et des épiaires. Cette plante de petite taille mérite qu'on lui fasse une place de choix devant les plates-bandes où elle dévoilera toute sa beauté et répandra ses effluves odoriférantes. Plusieurs variétés sont en vente sur le marché dont voici les principales.

Lavande anglaise : Les variétés «Gray Lady», «Hidcote», «Munstead», et «Alba» offrent des fleurs blanches. «Atropurpurea» et «Waltham» donnent des fleurs très foncées.

L. angustifolia rosea, quant à elle, a des inflorescences rose lavande.

Lavande française : *Lavandula stœchas peduculata* est une variété plus haute, aux feuilles lancéolées et aux fleurs plus petites.

Cueillette : Les fleurs de lavande se cueillent par temps sec et ensoleillé, en matinée, avant leur complet épanouissement. Il faudra les faire sécher sans tarder soit par petits bouquets suspendus ou sur des claies à l'abri de la lumière, dans un endroit frais et bien aéré.

Lors de l'entretien des plants au jardin, ne jetez pas les tiges que vous taillez. Ramassez-les et brûlez-les, elles dégagent une forte odeur désodorisante qui remplace n'importe quel produit en aérosol sur le marché.

Usages : La lavande s'emploie de toutes les manières, mais l'utilisation de l'huile essentielle, qui malheureusement ne s'obtient que par distillation, demeure néanmoins la forme thérapeutique la plus efficace. Toutefois, plusieurs préparations domestiques méritent notre attention allant de la simple infusion au vinaigre domestique, en passant par les eaux de toilette.

Usages médicinaux : L'infusion de lavande convient particulièrement au traitement des affections du système nerveux, telles que les migraines, les vertiges et les nausées. Pour cette raison, la lavande est une excellente complice des femmes en période de ménopause, des nerveux et des angoissés chroniques. Ses propriétés antispasmodiques la rendent également efficace pour calmer l'asthme, la toux, la bronchite et les mauvaises grippes.

La décoction s'utilise en douche vaginale contre la leucorrhée (pertes blanches). Les bains de lavande calmeront vos petits diables en provoquant chez eux un sommeil profond et réparateur; un bain de lavande vous détendra, à votre tour, au plus haut point. L'inhalation des vapeurs de lavande, même celles du bain, dégage les voies respiratoires. Je l'emploie quelquefois pour favoriser l'expulsion du mucus chez les enfants en proie à une mauvaise grippe ou en début de bronchite. Les cataplasmes de décoction de lavande s'utilisent efficacement sur les plaies, les ulcères et les brûlures.

On ne saurait passer sous silence les effets antiparasitaires de l'huile essentielle de lavande. Elle est d'une incroyable efficacité contre les infestations périodiques de poux qui se propagent encore de nos jours dans les milieux scolaires de toutes les classes sociales. Badigeonnez les petites têtes infestées avec l'huile essentielle non diluée, puis passez le peigne fin. Répétez l'opération une fois par jour jusqu'à disparition complète des poux. On étendra cet usage antiparasitaire aux animaux domestiques dans les cas d'infestations de puces et de parasites. On raconte aussi dans le milieu des jardins zoologiques que l'odeur de la lavande affecte fortement les tigres et les lions en les rendant dociles.

Excitant nerveux, l'huile de lavande remplace fort bien la caféine en période d'examens. Lorsque j'entrevois de longues nuits blanches, j'utilise l'huile en massage du cuir chevelu. Un seul inconvénient, il arrive parfois que cette pratique soit si efficace qu'elle cause de l'insomnie au moment où on désirerait profiter des quelques heures de sommeil qu'il nous reste avant le lever du soleil.

On fabrique encore de petites pochettes de fleurs de lavande que l'on dépose dans les tiroirs et les placards pour aromatiser le linge et prévenir la présence des mites.

Lotion antiseptique :

1/2 litre d'alcool à 45 p. 100
100 grammes de fleurs de lavande séchées
50 grammes de fleurs de millepertuis
30 grammes de fleurs de camomille

Faire macérer les fleurs dans l'alcool pendant 30 jours. Au bout de ce temps, filtrer et embouteiller. Au besoin, diluer deux parties de lotion pour une partie d'eau avant d'appliquer sur les blessures ou les plaies.

Huile de lavande : Une macération solaire de fleurs de lavande pourrait reposer tout l'été sur le bord d'une fenêtre ensoleillée. Utiliser une très bonne huile d'olive et remplacer régulièrement les fleurs à toutes les semaines durant la bonne saison, après avoir exprimé le liquide des fleurs à travers un linge. À l'automne, filtrer le tout et embouteiller dans un contenant de verre préalablement stérilisé. Quelques goutttes de cette huile par jour, déposées sur un morceau de sucre, viennent à bout des migraines et des vertiges les plus tenaces. On peut aussi omettre le sucre et prendre la mixture telle quelle. L'huile de lavande s'emploie encore par voie externe en compresses ou en lotion contre les brulûres, l'eczéma sec et les congestions pulmonaires.

Usages cosmétiques : Dans son ouvrage, *La coquette vengée*, la célèbre courtisane Ninon de Lenclos, qui aurait conservé sa beauté jusqu'à un âge très avancé, livrait parmi ses multiples secrets de beauté celui qu'elle considérait le plus important de tous : son bain d'herbe quotidien. Il se résumait à l'emploi d'une poignée de chacune des herbes suivantes : fleurs de lavande, romarin, menthe, poudre de racine de consoude et thym. Un litre d'eau bouillante était versé sur les plantes, avant de les couvrir et de les laisser reposer pendant 30 minutes. Le mélange était ensuite ajouté à l'eau du bain et madame s'y laissait tremper une vingtaine de minutes. Essayez-le !

Vinaigre de lavande : Cette vieille recette nécessite 100 grammes de lavande sur lequel on verse 1,2 litre de vinaigre de vin blanc de bonne qualité. Laisser macérer pendant huit jours en remuant de temps à autre, puis passer en pressant dans un linge et filtrer. Une cuillerée à café dans de l'eau fraîche servait autrefois aux ablutions matinales, comme vinaigre de toilette, pour pâlir un teint trop coloré et abattre l'excès de chair ou les boursouflures du visage et des joues.

Vinaigre de lavande après-rasage : Mettre trois à quatre poignées de fleurs de lavande et une forte poignée de sel dans un vinaigre de bonne qualité. Ce vinaigre additionné d'un peu d'eau, s'avère une excellente lotion après rasage. Astringent, il guérit les gerçures, les cicatrices et les coupures faites avec le rasoir. De plus ce vinaigre chasse aussi les moustiques et apaise instantanément la douleur causée par les piqûres d'insectes tout en empêchant l'enflure.

Vinaigre aromatique : Un vinaigre aromatique très hygiénique se prépare avec une poignée de feuilles de lavande, autant de sauge, de thym et de romarin. Infuser le mélange pendant 24 heures dans un litre de vinaigre auquel on ajoute une poignée de sel gris et trois ou quatre gousses d'ail pilées. Avant de passer ce mélange et de le mettre en bouteille, il faudra l'exposer à feu doux, au bain-marie, pendant au moins 24 heures.

MÉLISSE OFFICINALE

Melissa officinalis

Famille : Labiées.

Noms populaires : citronnelle, herbe au citron, piment des abeilles ou des ruches, ponchirade, thé de France.

Hauteur : 60 cm à 1,20 m.

Distance de plantation : 30 à 50 cm.

Floraison : juin à juillet.

Parties utilisées : les feuilles.

Propriétés : antispasmodique, carminatif, diaphorétique, fébrifuge, sédatif.

Historique : Cultivée dans les régions méditerranéennes depuis près de 2 000 ans, la mélisse ne fut d'abord appréciée que pour ses propriétés mellifères et son odeur sucrée. Elle fut popularisée sous le nom de Baume (Beebalm, en anglais). Les Grecs l'appelaient *melissophyllon* et les Romains, *apiastrum*. Quoi qu'il en soit, les arabes furent les premiers à reconnaître ses propriétés médicinales contre l'anxiété et la dépression. Plus tard, les bénédictins apprirent des Arabes la culture de la mélisse et développèrent une liqueur médicinale célèbre dans le monde entier, l'Eau de mélisse des Carmes, dont il existe aujourd'hui de multiples variantes. On utilise encore de nos jours la mélisse comme constituant majeur de plusieurs liqueurs, telles que la Bénédictine et la Chartreuse.

Paracelse, médecin et alchimiste suisse du XVe siècle, estimait hautement la mélisse et la croyait capable de revivifier les hommes. Le London Dispensary de 1696 prétendait que l'essence de mélisse pouvait rendre la jeunesse, fortifier l'esprit, renforcer la mémoire et dissiper la mélancolie.

Autrefois, les apiculteurs en enduisaient les ruches afin d'éviter l'essaimage des abeilles. L'application des feuilles macérées dans le vin était considérée efficace contre les morsures venimeuses et les piqûres de scorpions. Certains préféraient boire le vin tout d'abord et si, par malchance, le vin n'avait pas réussi à faire oublier la douleur, ils appliquaient les feuilles macérées sur leurs plaies ou blessures.

Mélisse officinale *(Melissa officinalis)*

L'huile de mélisse est utilisée en parfumerie et dans la fabrication de mixtures végétales odoriférantes.

Culture : La mélisse croît dans n'importe quel sol, mais préfère les sols frais et profonds, en position semi-ombragée. Elle se cultive à partir de la semence déposée en pleine terre tôt au printemps; les plants sont ensuite éclaircis à 30 cm les uns des autres. La mélisse se multiplie facilement par division de la touffe à l'automne. À la même époque, il faut rabattre les plants à ras du sol, puis les recouvrir d'un paillis; cette intervention ne sera nécessaire que la première année de culture. Elle se propage rapidement et pourrait devenir envahissante. On ignore souvent que la mélisse croît facilement en boîte à fleurs ainsi qu'à l'intérieur sans exiger plus de soins qu'à l'extérieur.

Au niveau ornemental, plusieurs plantes bénéficient de la proximité de son feuillage vert tendre. Beaucoup d'associations ont été traitées par les jardiniers et les plus fréquentes sont celles faites avec la sarriette d'été, la ciboulette, la menthe, au devant des livèches, à côté de différentes variétés de plantes aromatiques comme le thym, la sauge pourprée, le fenouil, le basilic, le persil, le romarin, l'estragon et la marjolaine.

La récolte se pratique avant la floraison, après la rosée du matin par temps sec et ensoleillé. La conduite du séchage est capitale car une mauvaise dessiccation diminue sensiblement ses multiples propriétés. Faites sécher la plante par petits bouquets à l'ombre dans un endroit bien aéré. Une fois l'opération complétée, retirez les feuilles des branches et conservez-les dans un contenant de verre hermétiquement fermé.

Usages : Depuis très longtemps, la mélisse a acquis la réputation d'assurer la longévité. Plusieurs centenaires célèbres, dont Charles V, en ont décrit les vertus et les bienfaits. Tous prétendaient en consommer quotidiennement.

On associe très souvent la mélisse et la camomille pour stimuler la transpiration chez les patients fiévreux.

91

La mélisse peut être recommandée sans problème pour les personnes de santé délicate et les enfants, car tous ses effets sont modérés et une consommation régulière et prolongée ne représente aucun danger. Considérée comme fébrifuge, rafraîchissante et vivifiante, elle favorise les règles et la conception. Par ailleurs, ses effets mi-toniques, mi-vivifiants, antispasmodiques et antifermentatifs dans le tractus digestif, agissent favorablement contre les nausées des femmes enceintes. Délicieuse à boire en thé, elle procure des effets relaxants. Nos aïeux se plaisaient à en boire une tasse le matin et une autre après le repas du soir. Ils nous ont appris que l'infusion des sommités fleuries combattait les migraines, l'hyperémotivité, la mélancolie, les règles douloureuses et les maux de ventre diffus. Ces qualités en font une alliée certaine lors de la ménopause. Dans ce cas, on en consommera trois tasses par jour, pour une période prolongée.

La décoction de la plante entière à raison de deux tasses par jour combat les migraines, les états nerveux, les vertiges. Elle est aussi utilisée en douche vaginale selon les proportions suivantes : 30 à 60 grammes de la plante fraîche dans un litre d'eau.

Le suc frais des feuilles s'applique tel quel sur les piqûres d'insectes, notamment d'abeilles et de guêpes. Un cataplasme de la plante fraîche triturée s'applique aussi sur les douleurs rhumatismales, les plaies et les contusions.

Huile de mélisse : Procéder à la macération solaire des feuilles durant toute la saison, dans une huile d'olive de bonne qualité pressée à froid. À l'automne, filtrer et exprimer le liquide des feuilles. Embouteiller. Cette huile s'emploie en friction sur les douleurs articulaires et rhumatismales.

Vin de mélisse : Faire macérer pendant environ 48 heures, 60 grammes de mélisse dans un litre de vin blanc de bonne qualité. Filtrer, embouteiller. Prendre un ou deux verres (à vodka) par jour. Ce vin traite aussi bien les dépressions nerveuses que les états de fatigue nerveuse et intellectuelle.

Eau de mélisse des Carmes :

450 grammes de mélisse fraîche en fleurs
75 grammes de zeste frais de citron
40 grammes de canelle
40 grammes de girofle
40 grammes de muscade
20 grammes de coriandre
20 grammes de racine d'angélique
2,5 litres d'alcool à 80 p. 100

Couper en petits morceaux la mélisse, le zeste et l'angélique. Ajouter les autres ingrédients concassés et faire macérer le tout dans l'alcool pendant quatre jours. Filtrer en exprimant bien le liquide des ingrédients humides. Laisser reposer 24 heures. Filtrer à nouveau. Mettre en bouteilles. Conserver au frais dans un endroit sombre.

À utiliser modérément à raison d'une cuillerée à café par demi-tasse (125 ml) d'eau, deux fois par jour, pour les adultes, sur une période d'une semaine et à raison de 15 gouttes dans une cuillerée à café de miel, une fois par jour, pour les enfants.

L'eau de mélisse combat l'anémie, les pertes de mémoire, les états émotifs extrêmes et les maux de tête d'origine nerveuse et peut s'appliquer sur les blessures mineures externes.

Usages culinaires : On concocte une boisson rafraîchissante à partir de quelques feuilles de mélisse ajoutées à un bon thé chinois. En été, l'infusion refroidie peut être ajoutée aux jus de fruits, particulièrement le jus d'orange, au thé glacé, au jus de tomates et aux cocktails. Mélangée au punch de fruits, elle en rehausse la saveur et diminue de moitié la quantité de sucre demandée. Fraîchement cueillies ou séchées, les feuilles de mélisse s'incorporent dans les salades, les sauces, les œufs et les sorbets. La mélisse est appréciée des gourmets lorsqu'elle est introduite dans certains plats de poulet et de poisson.

Liqueur de mélisse :

2 c. à soupe de mélisse séchée
ou
1 poignée de mélisse fraîche
1 litre de brandy ou de kirsch
225 grammes de sucre.

Laisser macérer pendant 24 heures. Filtrer le liquide, retirer les feuilles sans trop les presser. Ajouter le sucre. Embouteiller et fermer hermétiquement.

Sirop citronnelle :

250 grammes de sucre
1/2 litre d'eau-de-vie de bonne qualité
Une poignée de feuilles de mélisse

Laisser macérer pendant six mois.

BASILIC

Ocymum basilicum

Famille : Labiées.
Nom populaire : herbe royale, oranger des savetiers, pistou.
Hauteur : 30 à 60 cm.
Distance de plantation : 30 cm.
Floraison : août.
Parties utilisées : les feuilles et les sommités fleuries .
Propriétés : antispasmodique, carminatif, galactogogue, sédatif doux, stomachique.

Historique : L'origine du mot basilic est douteuse; certains prétendent qu'il est une abréviation du grec *basilikon phuton*, qui signifie «herbe royale», probablement parce qu'il était utilisé en Inde dans les onguents destinés aux membres de la famille royale. Une certaine croyance attribue l'origine du nom basilic à une association avec le *basilisk*, fabuleuse créature pouvant tuer d'un seul regard. Dédiée à Krishna et à Vishnu, la variété *Osanctum* est vénérée dans chaque demeure indoue. Ses vertus désinfectantes et purificatrices de l'air l'ont rendue précieuse en Inde pour lutter contre les insectes qui provoquent la malaria. Ces propriétés ont contribué à l'implanter profondément dans la culture populaire indienne. Déjà connu des Romains au XIIe siècle et dans le Midi de la France, le basilic fut progressivement associé à l'alchimie et à la sorcellerie à la suite de superstitions qui apparentaient la plante au scorpion, ou encore au serpent né d'un œuf couvé par un crapaud, dénommé lui aussi basilic.

Reconnu en Europe dès le XVIe siècle comme plante culinaire, le basilic demeure toujours aussi populaire auprès des cuisiniers et cuisinières qui savent utiliser et apprécier son odeur et sa saveur. Elle était autrefois prisée contre les congestions nasales et les maux de tête.

Culture : Le basilic se cultive en situation ensoleillée; réservez-lui sans hésiter le coin le mieux abrité de votre jardin. Les plants

Basilic *(Ocymum basilicum)*

exigent un sol bien drainé, des arrosages abondants par temps sec seulement, et ils se multiplient à partir de la semence déposée en pleine terre dès le début de l'été. On peut bien sûr partir des plants à l'intérieur pour les transplanter au jardin ou en boîte à fleurs le moment venu. Dans bien des cas, on pourra remplacer l'arrosage par un bon binage, ce qui éliminera les mauvaises herbes du même coup. Toutes les fines herbes nécessitent une propreté exemplaire et tolèrent difficilement la compétition avec d'autres végétaux. L'émondage du bouton floral favorise le développement du feuillage et rend la plante plus touffue. Les feuilles pétiolées et ovales sont assez larges, lustrées et parfois plus foncées sur le dessus. Les fleurs apparaissent, en fin de saison, petites, en volutes de six, blanches ou pourpres. Le basilic se cultive bien en pot; il est tout aussi agréable de voir quelques branches de fines herbes çà et là sur les rebords des fenêtres ensoleillées qu'au jardin, le long d'un sentier ou sur les marches d'un escalier. La plante chasse les moustiques et fut autrefois utilisée au jardin à cet effet. Placez-la en bordure d'une plate-bande où la variété de ses verts et de ses pourpres contribuera à rehausser l'ensemble des plantes qui la composent. Mes associations préférées avec le basilic se font avec la lavatère ou la mauve, avec l'hysope et la sauge, et toujours près du thym; mais, je dois avouer que, pour moi, le plus important est sans aucun doute qu'elle soit le plus près possible de ma cuisine.

Récolte : La cueillette du basilic s'effectue avant la floraison par temps chaud et sec, après la rosée du matin. Les plants sont alors coupés à quelques centimètres du sol et mis immédiatement à sécher dans un endroit ombragé et bien aéré. Une fois la dessiccation terminée, conserver en pot fermé hermétiquement. Il est également possible de congeler les feuilles fraîches tel que décrit pour l'estragon.

Usages internes : L'action légèrement sédative du basilic peut être utilisée à bon escient en infusion contre le surmenage intellectuel, la nervosité, les angoisses, les vertiges et les migraines d'origine nerveuse. La même infusion est également bénéfique contre la toux, la digestion difficile, les désordres gastro-intestinaux et les crampes d'estomac. Elle est idéale, à raison de deux tasses par jour, pour les mamans qui allaitent leur bébé.

Vin de basilic : Le vin de basilic est bien connu des méditerranéens pour son effet tranquillisant. Faire macérer, à la noirceur, pendant une semaine, à la température de la pièce, une poignée de feuilles fraîches dans un litre de vin rouge de bonne qualité. Puis, filtrer et embouteiller. Le vin doit évidemment être conservé au frais.

Usages externes : Contre les effets désagréables des piqûres d'insectes, notamment de guêpes, on frictionne la blessure avec des feuilles fraîchement cueillies et légèrement triturées. Je me contente de les mâcher un peu avant de les appliquer sur la piqûre, c'est aussi efficace, certainement plus rapide.

Les bains de basilic, employé seul ou mêlé à la sauge, au thym, au romarin ou à la lavande, sont tonifiants. Même si la quantité d'herbe nécessaire pour un bain varie beaucoup selon les méthodes, je vous recommande d'amener à ébullition dans un demi-litre d'eau, environ 170 grammes d'herbes, en quantités égales et préalablement mises dans une petite pochette de coton. Laisser infuser toute une nuit; puis le lendemain, verser le tout dans un bon bain chaud. Ces bains sont de véritables revitalisants et redonnent de l'éclat aux peaux fatiguées après un dur hiver.

Usages culinaires : Le basilic, à l'instar des autres herbes aromatiques, est considéré depuis longtemps comme un antiseptique, ce qui explique l'usage que l'on en faisait avec les viandes et les poissons. Le basilic est insurpassable à la cuisine où il contribue par son odeur délicate et douce à relever une multitude de plats. Il faudra cependant le doser judicieusement car, malgré son odeur délicate, il pourrait dominer désagréablement les autres arômes. Le basilic peut être ajouté aux œufs, aux fromages, aux plats de poissons, ainsi qu'à la préparation des saucissons, sans oublier les plats de pâtes et les pizzas.

Vinaigrette des 4 princes :

Huile d'olive pressée à froid
Vinaigre de vin
Sauce tamari
Une gousse d'ail
Un peu de jus de limette
Une pincée de basilic pourpré frais
Une pincée de thym citronné frais
Une pincée de ciboulette fraîche

Tellement délicieuse sur des concombres frais, que cette création collective d'un beau soir d'été fit perdre leurs bonnes manières aux quatre princes qui, soudainement, se mirent à lécher leur assiette. Ravissant !

Pesto alla Genovese (pistou à la génoise) :

3/4 de tasse (187 ml) de basilic frais coupé sans tiges
ou
4 c. à soupe (100 ml) de basilic séché reconstitué dans
4 c. à soupe (100 ml) d'eau bouillante refroidie
1 c. à soupe de noix (cachou ou pignon)
1 tasse (250 ml) de persil haché et tassé
12 amandes blanchies
2 à 3 gousses d'ail
1/2 tasse de fromage parmesan finement râpé
1/2 tasse d'huile d'olive
sel au goût
2 c. à soupe de beurre

Moudre les noix. Couper le basilic, émincer l'ail, ajouter le parmesan. Mettre ces ingrédients dans un mortier ou un mélangeur à vitesse moyenne. Ajouter l'huile, goutte à goutte tout en continuant à battre. Ajouter le sel, incorporer le beurre en petite quantité et continuer à mélanger jusqu'à consistance de pâte ferme. Le pistou doit être fermement pressé dans une jarre ou un pot. Si on ne l'utilise pas immédiatement, une couche de beurre enduite sur le dessus gardera la pâte plus longtemps. Conserver au réfrigérateur.

Ce délicieux pistou originaire de Gênes est traditionnellement utilisé sur les pâtes, les pizzas, les canapés, etc. La soupe au pistou est aussi réputée et appréciée au-delà de ses frontières natales. Une cuillerée à soupe de pistou donnera aux minestrones leur saveur authentique. Excellent sur du pain en baguette.

MARJOLAINE

Origanum majorana

Famille : Labiées.
Noms populaires : grandorigan, marjolaine cultivée, marjolaine des jardins, marjolaine vraie.
Hauteur : 60 cm.
Distance de plantation : 30 cm.
Floraison : juin à septembre.
Parties utilisées : les sommités fleuries et les feuilles.
Propriétés : antiseptique, antispasmodique, aromatique, bactéricide, calmant, carminatif, cholérétique, expectorant, sédatif.

Avant d'aller plus avant dans l'histoire et les propriétés de la marjolaine, apportons quelques précisions à son sujet. Il existe en effet, deux espèces voisines de marjolaine qui ont souvent été confondues quant à leur originé, leurs propriétés et même leurs usages. En premier lieu, il faudra distinguer l'espèce cultivée *Origanum majorana*, dite Marjolaine vraie, de l'espèce sauvage *Origanum vulgare*, communément appelée origan. En règle générale, les deux espèces possèdent les mêmes propriétés bien que certains préfèrent utiliser la marjolaine aux fins culinaires et l'origan aux fins médicinales. J'ai choisi également de les aborder selon ces deux types d'utilisation.

Historique : Cultivée en Europe depuis plusieurs siècles, la marjolaine est réputée pour ses propriétés tant médicinales que culinaires. On ne sait trop d'où nous viennent exactement les appellations *majorana*, ou *maiorana*, noms sous lesquels la plante fut introduite en Europe au Moyen Âge. La marjolaine doit sa popularité toujours grandissante à ses propriétés désinfectantes et préservatives qui lui valurent une place de choix quand la réfrigération était encore inconnue. Sensible au froid, la marjolaine est cultivée commercialement en Asie, en Europe centrale et dans les régions méditerranéennes où on la cultive entre les rangées d'oliviers et d'amandiers.

Marjolaine *(Origanum majorana)*

Culture : En Amérique du Nord, il convient de planter la marjolaine au début de l'été, en exposition ensoleillée, dans un sol moyennement riche, bien drainé et bien préparé, c'est-à-dire exempt de mauvaises herbes. Si l'on préfère semer en pleine terre, il faudra, plus tard, éclaircir les plants à environ 25 cm de distance. Selon l'aspect que l'on désire donner à la plate-bande, il est possible de contrôler l'étalement de la plante par des tailles lorsque cela s'avère nécessaire. La cueillette de la marjolaine s'effectue au moment du plein épanouissement de la fleur, tandis que les récoltes complètes du plant ne devraient avoir lieu qu'une seule fois en fin de saison afin de ne pas appauvrir le plant. Il n'est pas défendu toutefois de prélever sporadiquement des feuilles, mais essayez autant que possible de jeter votre dévolu sur plusieurs plants plutôt que de prélever constamment sur le même; vous en serez récompensé. La cueillette s'effectue donc en fin de saison et les plants sont coupés à quelques centimètres du sol, puis ficelés en petits bouquets que vous suspendrez la tête en bas dans un endroit bien aéré.

Si on désire obtenir de la marjolaine fraîche durant la saison froide, il faudra prélever des boutures sur les plants les plus sains, avant la floraison ou encore empoter quelques plants du jardin et les conserver à l'intérieur, devant une fenêtre ensoleillée.

En plate-bande la marjolaine côtoie agréablement la menthe, la ciboulette, le chrysanthème (*Chrysanthemum balsamita)*, la buglosse *(Anchusa)* les œillets *(Dianthus)* et j'en passe. J'aime particulièrement la voir se balancer doucement près de la tanaisie ou devant les Delphiniums (pieds-d'alouette). On peut aussi, si on le désire, en faire une haie basse, taillée ou non. Les variétés *Origanum onites*, *Origanum majorana* et *Origanum heracleoticum* sont habituellement employées et recherchées pour leurs propriétée culinaires.

Usages culinaires : Considérée comme l'une des plus importantes plantes aromatiques de la cuisine occidentale, la marjolaine est principalement employée avec les viandes. Mais elle rehaussera tous les plats de pommes de terre, la plupart des légumes ainsi que les légumineuses telles que les pois verts et les lentilles. À la cuisine, on l'associe très souvent avec le thym; les deux relèvent admirablement bien les préparations de saucissons et de pain de viande. Les viandes à odeur forte tirent profit d'une friction à la marjolaine avant cuisson.

Usages médicinaux : Se référer à l'origan *(Origanum vulgare)* sauf pour l'onguent de marjolaine décrit ici.

Onguent de marjolaine : Effectuer une macération solaire de 100 grammes de marjolaine fraîche dans un demi-litre d'huile d'olive pressée à froid, pendant au moins un mois. Après ce temps, ajouter la cire d'abeille, le propolis et le benjoin. Cet onguent est utilisé en massage contre les douleurs rhumatismales, articulaires, musculaires et d'origine nerveuse.

ORIGAN

Origanum vulgare

Famille : Labiées.

Noms populaires : grande marjolaine, marjolaine sauvage ou bâtarde, orégano.

Hauteur : 30 à 50 cm.

Distance de plantation : 30 cm.

Floraison : juillet et août.

Parties utilisées : les sommités fleuries et les feuilles.

Propriétés : analgésique, antiseptique, antispasmodique, apéritif, bactéricide, calmant, carminatif, diurétique, emménagogue, expectorant, parasiticide, sédatif, stomachique.

Historique : D'abord cueilli à l'état sauvage dans plusieurs parties du monde, l'origan y est maintenant cultivé commercialement. Le nom origan est un dérivé du grec *oros*, qui signifie «montagne» et de *ganos,* «joie». On peut imaginer la joie que pouvait procurer l'arôme et la beauté des petits bouquets d'origan éparpillés çà et là, à flanc de côteaux. Chez les Grecs, le bonheur du défunt dans l'autre monde était assuré, si l'origan venait à croître spontanément sur la sépulture. C'était la coutume tant chez les Romains que chez les Grecs de coiffer les jeunes couples de couronnes d'origan.

Ces derniers utilisaient aussi la plante en bain de pieds, comme tonique devant renforcer l'esprit et revitaliser entièrement le système. Plus près de nous, nos ancêtres nettoyaient leurs meubles avec le jus frais de la plante, saupoudraient la plante séchée et pulvérisée sur les planchers et extrayaient de la plante une teinture pourprée qui colorait admirablement bien les vêtements de laine. Ils introduisirent également l'apport des sommités fleuries dans la fabrication de la bière qu'elles préservaient et à laquelle elles donnaient un arôme distinctif.

Culture : L'origan se cultive et se cueille de la même manière que la marjolaine. L'espèce *Origanum vulgare* préfère cependant les

Origan *(Origanum vulgare)*

sols secs, graveleux et riches en nutriments. L'origan convient bien aux rocailles. Dans les plates-bandes, l'odeur de ses petites fleurs pourpres ou rosées attire les abeilles. La variété ornementale «Aureum» dont les jeunes feuilles sont d'un beau jaune or, côtoie bien la mélisse, le romarin, la sauge, le thym, la sarriette et le persil. L'*Origanum vulgare* s'associe harmonieusement avec la lavande, les roses, les violettes et la variété *O. aureum*.

Usages : Pour les usages strictement médicinaux, l'*Origanum vulgare* est préféré à l'*O. majorana*. Bien que moindres, les qualités culinaires de cette dernière sont suffisamment intéressantes et semblables à la marjolaine pour qu'on la cultive également pour cette utilisation. Néanmoins, si l'espace le permet, je vous recommande de cultiver tout de même les deux espèces.

Usages médicinaux internes : L'origan et la marjolaine sont incomparables pour traiter un grand nombre d'inconvénients dus à un système nerveux perturbé. Leurs actions sédatives et calmantes en font des alliés de choix dans les moments les plus désespérés. Pensons aux insomnies, à la nervosité en général, aux palpitations nerveuses, aux angoisses diverses que l'infusion soulagera ou calmera lors de crises excessives. Mais il faudra prendre garde de ne pas infuser la plante à l'excès; la posologie d'une cuillerée à soupe de feuilles séchées par litre d'eau doit être respectée. Une concentration trop forte provoquerait des effets contraires et deviendrait tonique et stimulante principalement au niveau digestif. Il ne faudrait pas oublier de préciser ici les effets expectorants, antispasmodiques et diurétiques de l'infusion qu'on offrira bien chaude aux asthmatiques et aux bronchitiques.

Plante œstrogène, l'origan traite efficacement l'aménorrhée (absence de flux menstruel) primaire, en stimulant les corticosurrénales, tissu de la glande surrénale qui sécrète une trentaine d'hormones. À cet effet, trois tasses par jour de l'infusion suffiront. L'infusion chaude des feuilles d'origan favorise la transpiration et l'éruption cutanée en début de rougeole. Je la donne après un bain bien chaud, auquel j'ajoute une tasse de fécule de maïs; ce bain contribue lui aussi à faire sortir l'éruption. Ma grand-mère aimait bien ces bains et les résultats spectaculaires qu'elle en obtenait. Nous devenions littéralement couverts de boutons, et c'était pour elle l'occasion de nous dorloter; je la soupçonne d'avoir profité de nos maladies d'enfants pour essayer sur nous ses mélanges les plus machiavéliques. Les gargarismes de l'infusion sont aussi indiqués pour soigner les aphtes, les ulcères et les infections buccales.

Vin d'origan ou de marjolaine :
Contre l'aménorrhée (absence de flux mentruel)

1 litre de vin rouge de bonne qualité
50 grammes d'origan frais
20 grammes de feuilles de framboisier (facultatif)
20 grammes de valériane

Faire macérer pendant dix jours. Secouer la bouteille à tous les jours. Filtrer à travers une mousseline, embouteiller. Prendre l'équivalent de 5 c. à soupe après chaque repas.

Usages externes : Les personnes affligées de la fièvre des foins seront ravies d'apprendre qu'il est possible de contrecarrer les insupportables crises de congestion, en reniflant tout simplement un tampon imbibé d'infusion. Des compresses chaudes de feuilles d'origan soulagent les douleurs articulaires et les rhumatismes. Appliquée au niveau de l'abdomen, cette compresse chaude vient à bout des coliques les plus persistantes.

Le suc frais de la plante diminue les enflures dues aux foulures et aux entorses. Tandis que, les bains d'origan sont calmants et prédisposent au sommeil, en détendant les muscles fatigués.

Onguent d'origan ou de marjolaine : Ces onguents sont
divins en massage sur les torticolis, les douleurs musculaires, voire les douleurs rhumatismales. Les convalescents alités l'apprécient grandement. Procéder tel que déjà indiqué pour l'onguent de souci

108

en employant 100 grammes de la plante fraîche pour un litre d'huile d'olive, sans oublier d'incorporer la cire d'abeille, le propolis et le benjoin.

L'huile fabriquée par macération solaire est aussi très utile pour les mêmes affections et constitue selon moi une des meilleures huiles à massage qui soit.

Dentifrice marjolaine/origan : Mélanger, à parties égales, une poignée de feuilles de marjolaine et d'origan réduite en poudre, de l'argile blanche ou verte, de l'aubergine calcinée pulvérisée ou de la poudre de thym pulvérisé au moulin à café. Ce mélange aide à conserver les dents et les gencives en bon état. Il n'est pas nécessaire de l'utiliser à tous les jours.

Sauge officinale *(Salvia officinalis)*

SAUGE OFFICINALE
Salvia officinalis

Famille : Labiées.
Noms populaires : grande sauge, herbe sacrée, sauge écarlate, sauge éclatante, thé de France.
Hauteur : 30 à 70 cm.
Distance de plantation : 40 cm.
Floraison : tout l'été.
Parties utilisées : feuilles et fleurs.
Propriétés : antiseptique, antispasmodique, hypertenseur léger, stimulant général, glandulaire et capillaire.

Historique : La famille de la sauge comprend 750 espèces distribuées à travers le monde, dont certaines sont utilisées pour leurs valeurs culinaires. Un certain nombre l'ont été pour leurs propriétés médicinales ou encore, pour leur pouvoir d'altérer la conscience, comme c'est le cas d'une espèce d'Amérique centrale traditionnellement employée dans les rituels magico-religieux.

Du latin *salvare* signifiant «guérir», la sauge est recommandée pour ses vertus cosmétiques et médicinales depuis plusieurs milliers d'années. Cultivée depuis les temps les plus reculés, la *Salvia officinalis* est, de toutes, la plus importante et la plus connue des plantes aromatiques et médicinales. Vénérée par les Égyptiens et les Grecs, la sauge était considérée par les premiers comme pouvant rendre la fécondité aux femmes stériles et par les seconds comme plante sacrée qui favorisait l'écoute de leurs prières et de leurs sollicitations par les dieux.

Les Romains utilisaient la sauge dans leur bain afin de soulager les douleurs musculaires. Ils la cueillaient solennellement avec des serpes d'or, d'argent ou de cuivre, vêtus de longues robes blanches, après s'être longuement purifiés. Il fut un temps où le thé de sauge était extrêmement populaire auprès des Chinois qui le préféraient à leur thé traditionnel. On raconte qu'ils l'échangèrent avec les Hollandais sur la base de trois sacs de thé chinois pour un de sauge.

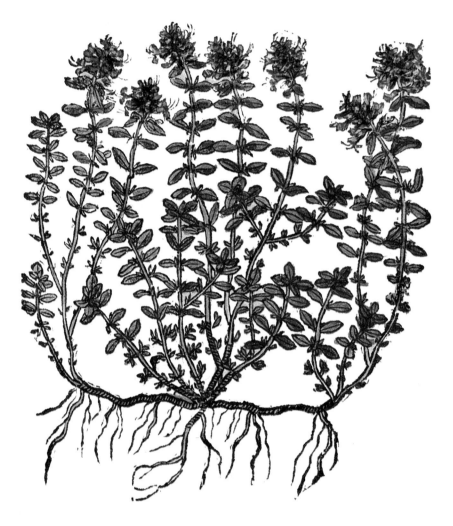

Thym *(Thymus vulgare)*

diques. Les deux principales composantes biochimiques du thym, que l'on retrouve en plus grande concentration dans l'huile de thym, sont des phénols dont le thymol est le principe actif le plus important et le plus médicinal.

Malheureusement, il est quasi impossible de produire de l'huile essentielle chez soi. Néanmoins, d'autres préparations plus réalisables parviendront à extraire suffisamment de principes actifs pour satisfaire les besoins culinaires et médicinaux de la famille. Vous devez donc vous procurer vos huiles essentielles sur le marché. Dans ce cas, rappelez-vous qu'il existe deux sortes d'huiles essentielles de thym. L'une, rouge, vendue sous le nom d'huile d'origan, est grossièrement distillée et très souvent adultérée par d'autres huiles et des colorants. La seconde, l'huile blanche, n'est en réalité que de l'huile rouge redistillée. En fait, c'est l'huile de thym français que l'on devrait rechercher pour les usages médicinaux puisqu'elle contient davantage de thymol sur lequel repose sa valeur.

Culture : Le thym se cultive en sol sec, calcaire, rocailleux ou bien drainé en exposition ensoleillée. Les plants donnent de meilleurs résultats lorsqu'ils ont suffisamment d'espace pour s'étaler. Il est préférable de planifier de nouveaux lits de plantation à chaque année, car les plants doivent normalement être remplacés à la troisième ou à la quatrième année de culture. On propage le thym de plusieurs manières : par division de la racine, à partir de boutures prélevées sur les pousses latérales ou par semis. Le parfum du thym citronnelle demeure plus doux et agréable chez les plants bouturés et divisés que chez les plants ensemencés. On peut quand même réussir à cultiver le thym dans un sol plus lourd, mais ce sera, sachez-le, au détriment de ses propriétés aromatiques. Le thym déteste l'humidité; évitez-lui ce désagrément qui lui est si souvent dommageable. Le meilleur endroit pour cultiver le thym sera toujours le long d'un mur protégé des vents violents, en exposition plein sud et de préférence près de la cuisine. En hiver, n'oubliez pas de protéger les plants du gel en les rechaussant.

Nous n'avons pas encore abordé le compagnonnage des plantes médicinales et aromatiques. À ce chapitre, il faudrait s'enquérir plus à fond des expériences tentées du côté de l'agriculture biologique et plus particulièrement de la biodynamie. Bien que la science du compagnonnage soit peu développée et que les résultats soient encore sous observation, les effets favorables de l'association du thym et de la lavande ont été remarqués depuis le début du siècle. Quelques autres «confréries» ont également été signalées dans l'histoire. Celle de la fraise et de la bourrache, de l'ail et de la rose, de la digitale et de la pomme de terre, suscitent encore l'étonnement des jardiniers novices. Mais les vieux jardiniers savent par expérience qu'à l'instar des humains, certaines plantes parfois s'entraident et parfois se nuisent.

Les trois variétés le plus souvent cultivées sont les variétés à feuille large, à feuille étroite et enfin, à feuille panachée. La variété à feuille étroite ou thym d'hiver appelé aussi thym allemand, est plus aromatique que les autres. Le thym français ou thym d'été, demande une protection hivernale plus sévère. De tous, c'est le Thym serpolet argenté qui est le plus résistant.

Plusieurs variétés de thym peuvent être aisément trouvées sur le marché dont le Thym citron ou thym citronnelle (Thymus X citriodorus), le Thym serpolet ou thym sauvage (Thymus serpyllum), espèce tapissante à feuilles duveteuses, et le Thym carvi (Thymus barba-barona) aussi appelé herbe baronne car il était utilisé autrefois pour enrober l'aloyau de bœuf avant de le rôtir. Sont également facilement disponibles, le Thymus vulgaris «Argenteus» à saveur de thym anglais et le Thym canelle (Thymus praecox articus).

Les arrangements qu'il est possible de réaliser avec toutes ces variétés de thym sont tentants. Quelques exemples suffiront à vous donner envie, je l'espère, de faire des expériences visuelles les plus diverses. Au premier plan d'une plate-bande, disposez selon votre choix des alchémilles, de la menthe, du souci. Immédiatement derrière, de la monarde et des rosiers. Ou encore, un premier plan de ciboulette et de sarriette précédant de la marjolaine dorée, de la mélisse et du rumex. Dans cet arrangement, l'estragon, le fenouil, le romarin et l'angélique peuvent être disposés en arrière-plan. L'arrangement le plus réussi qu'il m'a été permis de voir était disposé ainsi, par ordre décroissant de hauteur : le Thym citron *(Thymus x citriodorus)*, le Géranium d'Endress *(Pelagor-nium endressii)*, la Campanule à petites feuilles *(Campanula latifolia)*, le Lis royal *(Lilium regale)* et finalement le rosier «Buff Beauty».

Usages médicinaux internes : L'infusion de Thym serpolet calme la toux lancinante et quinteuse de la coqueluche. Infuser 10 à 20 grammes de thym par litre d'eau bouillante et en boire trois à quatre tasses par jour. Par ailleurs, on peut faire boire au malade une infusion de thym et d'ail à raison de 50 grammes d'ail et de 15 grammes de thym par litre d'eau. Dans les deux cas, maintenez votre malade à la diète au moins les deux premiers jours, en lui faisant boire uniquement l'une ou l'autre de ces infusions.

En cas d'irritation de la gorge, une infusion de 30 grammes de thym dans un litre d'eau bouillante édulcorée, servie très chaude, pourra être prise à la dose de 1 à 2 c. à soupe, plusieurs fois par jour. Ce mélange pourra aussi être utilisé en gargarisme.

L'infusion de thym facilite la digestion, enraie les fermentations gastriques responsables des désordres, tels que les ballonnements et les coliques. Elle est très utile en début de grippe, car elle favorise la transpiration nécessaire à l'élimination des toxines.

Usages médicinaux externes : Appliquées sur les douleurs bronchitiques et rhumatismales, les compresses chaudes de thym apportent un grand soulagement. On procède soit avec l'oreiller (pochette cousue à trois extrémités) rempli de feuilles et réchauffé à la «marguerite», ou encore en trempant les compresses dans l'infusion ou la décoction. Les infusions et les décoctions peuvent également être utilisées en lotion pour frictionner les contusions, les foulures et les douleurs articulaires de tout genre.

Les fleurs séchées de thym sont utilisées en sachets tout comme la lavande, pour préserver la literie des insectes et des parasites.

Teinture de thym : Faire macérer 50 grammes de thym dans un demi-litre de vodka. Cette préparation peut servir de dentifrice pour les personnes souffrant de gingivite. Se brosser les dents deux fois par jour en trempant la brosse dans le liquide. Bien masser les gencives. La teinture s'emploie également en lotion et en massage sur les membres des personnes convalescentes ou affaiblies.

Onguent de thym : Procéder de la même manière que pour les autres onguents, en utilisant soit de l'huile de thym macérée au soleil pendant au moins 60 jours ou encore de l'huile essentielle. Cet onguent apaise les douleurs dues à la sciatique et à la goutte.

Huile de thym : Peut être utilisée selon les mêmes indications que l'onguent.

Sirop de thym : Faire cuire du thym avec du sucre brut, en quantités égales, jusqu'à consistance de sirop. À prendre trois fois par jour avant les repas, en cas de mauvaise grippe, rhume ou refroidissement.

Usages culinaires : Le thym facilite la digestion et convient à tous les plats et plus particulièrement aux viandes, telles que l'agneau et le porc ainsi qu'aux poissons, comme l'anguille et aux crustacés (homards, moules). Le thym rehausse le goût des céréales et des légumineuses lorsqu'on l'incorpore durant la cuisson et enfin, il est indispensable au fameux bouquet garni dont voici une recette.

Bouquet garni :

1 feuille de laurier
15 grammes de persil
2,5 grammes de thym
2,5 grammes de marjolaine

À partir de ce bouquet garni, on peut faire une gelée pour accompagner les plats de fromages, d'œufs, de volailles et de poissons.

Bâtonnets de fromage au Thym :

60 grammes de beurre
1 c. à café d'eau chaude
120 grammes de farine
60 grammes de fromage cheddar râpé
1 c. à café de thym frais ou séché
œufs battus
grains de pavots (facultatif)

Battre au mélangeur électrique, à vitesse moyenne, l'eau chaude et le beurre pendant environ deux minutes. Ajouter la farine et mélanger jusqu'à consistance d'une pâte légère. Incorporer le fromage et le thym; bien mélanger. Laisser reposer au réfrigérateur jusqu'à ce que la pâte soit suffisamment ferme et malléable. Pétrir légèrement sur une surface enfarinée; rouler en bâtonnets minces de 5 cm de longueur. Après avoir badigeonné les bâtonnets avec les œufs battus, roulez-les sur les graines de pavots. Cuire au four à 200 °C, de 20 à 25 minutes.

Romarin *(Rosmarinus officinalis)*

ROMARIN

Rosmarinus officinalis

Famille : Labiées.

Noms populaires : encensier, herbe aux couronnes, rose des marins, rose de la mer, rose-marine.

Hauteur : 1 m à 1,80 m.

Étalement : 1,50 à 1,80 m.

Floraison : début de l'été.

Parties utilisées : les sommités fleuries, les feuilles et les branches.

Propriétés : antiseptique, antispasmodique, aromatique, astringent, carminatif, cholagogue, diaphorétique, diurétique, emménagogue, stimulant, stomachique, tonique.

Historique : Autrefois, le romarin fut surnommé *ros maris* ou *rosée de la mer*, car il croissait près des bords de mer et que, vues de loin, ses fleurs avaient un aspect vaporeux. À partir de sa capacité à stimuler la mémoire, les Anciens en firent un emblème de fidélité amoureuse et d'amitié; le romarin acquit en fait un rôle symbolique de premier plan dans l'histoire de l'humanité. Non seulement s'en servait-on lors des cérémonies nuptiales, mais il avait également sa place lors des funérailles, des cérémonies et des festivités les plus diverses. On l'entrelaçait pour confectionner les couronnes des mariés et ses branches, enrubannées de soies multicolores, étaient offertes aux invités comme symbole d'amour et de loyauté.

Les Égyptiens déposaient des rameaux de romarin dans les tombes des pharaons afin, dit-on, de soutenir l'âme de ces derniers au cours de leur périple dans le monde des morts. Au pays de Galles, on perpétua la coutume lors des funérailles de se munir d'une branche de romarin; chaque personne assistant à la cérémonie devait jeter le rameau sur le cercueil lors de la mise en terre. Son odeur embaumait les lieux religieux et païens où, notamment, il était considéré comme un antidote efficace contre les influences maléfiques et les sorcières. On dit aussi que les étudiants grecs se coiffaient de couronnes de romarin avant de se rendre à leurs examens.

Les Espagnols le révéraient parce que, disait-on, la Vierge Marie s'était réfugiée sous un buisson de romarin lors de la fuite en Égypte. Quant aux Siciliens, ils croyaient fermement que de petits êtres élémentaires, capables de se transformer en serpents, se cachaient sous les branches de romarin. En France, on conservera une tradition ancestrale qui consistait à brûler du romarin auprès des malades pour purifier l'air et prévenir les infections et enfin, au XIVe siècle, deux rhumatisantes célèbres, Élisabeth de Hongrie et Madame de Sévigné trouvèrent le soulagement tant espéré à leurs maux grâce au romarin. Mais plus encore, la reine de Hongrie retrouva sa jeunesse et sa beauté, ce qui lui valut, à 72 ans, une fois débarrassée de sa goutte, de ses rides et de ses rhumatismes, les avances d'un seigneur voisin ainsi qu'une demande en mariage ! La recette encore prisée par les coquettes connaît de multiples interprétations dont je vous livrerai plus loin quelques versions. On se rappellera également que le romarin entre dans la composition du célèbre Vinaigre des quatre voleurs.

De toutes ces histoires, croyances et légendes liées au romarin, l'une des plus répandues soutient que le romarin atteignait la taille du Christ lors de son passage sur Terre. On était persuadé qu'après la mort de Jésus, le romarin avait cessé de croître en hauteur pour ne se développer qu'en largeur !

Culture : Le romarin possède de petites feuilles pointues dont la face supérieure est vert foncé et le dessous d'un vert plus pâle. Les fleurs bleu clair sont petites et distribuées le long des tiges dressées. Le romarin donne de bons résultats en terre légère, bien drainée, en situation ensoleillée, mais de préférence abritée des vents violents. Il redoute l'humidité stagnante, les terres froides et les vents agressifs. Offrez-lui l'emplacement le mieux protégé et le mieux exposé de votre jardin, le long d'un mur orienté au sud par exemple. En climat nordique, en l'absence de ces conditions, cultivez-le en pots que vous hivernerez à l'intérieur pour ensuite les ramener au jardin l'année suivante.

La propagation du romarin peut se pratiquer aisément à partir des boutures prises en fin de saison sur les plants matures que l'on dépose ensuite immédiatement en pleine terre. N'ayez crainte, l'enracinement du romarin est très rapide. Il est également possible de le propager par marcottage, lequel se pratique tout simplement : plier une branche inférieure du plant, en prenant bien soin de ne pas blesser le plant mère, et enterrer l'extrémité sous quelques centimètres de terre sablonneuse. Ne détacher le nouveau plant du plant mère que lorsque l'enracinement de la branche sera bien effectué. On doit également tailler le romarin pour enlever les branches mortes et éliminer les branches éparses pour lui donner une forme intéressante. Les branches dont le déploiement est trop marqué par rapport à l'ensemble du plant devront être rabattues de moitié au printemps.

Il existe plusieurs variétés de romarin dont la variété médicinale que je vous recommande d'utiliser en priorité, le *Rosmarinus officinalis,* et quelques autres variétés telles que le très florifère *Rosmarinus officinalis* «Lockwood» et le *Rosmarinus officinalis* «Majorca», aux inflorescences plus foncées.

La confrérie romarin, digitales et roses est légendaire. Non moins intéressante, l'association avec le persil, le souci, le fenouil et la marjolaine dorée est grandement appréciée. On peut former des haies basses et des massifs de romarin, ou encore, border le jardin ou le sentier de romarin en pots. Je me souviens d'une plate-bande dont le massif de romarin s'adossait le long d'un mur avec, au centre, quelques plants de digitales. À la droite, un tapis de Géraniums odorants, tandis qu'à gauche, un tapis de Pervenches mineures était bordé à l'avant par une rangée de soucis. À l'extrémité, s'épanouissait un bouquet de lavande. Cet arrangement m'a laissé un souvenir ineffaçable par le charme de son feuillage, de sa texture et de son odeur. Mais l'association que je préfère a l'allure d'un véritable tableau composé de rosiers «Floribunda», de lavande «Hidcote» et de romarin *officinalis*.

Cueillette : Cueillir par temps sec, après la rosée du matin. Faire sécher les bouquets suspendus dans un endroit sombre et aéré. Mettre en pot et fermer hermétiquement.

Usages médicinaux : L'infusion des sommités fleuries, que l'on appelle le thé de romarin, doit être prise bien chaude, à raison d'une tasse après les repas. Elle soulage des maux de tête, des ballonnements intestinaux, des grippes, des maux les plus divers dus au surmenage et aux états dépressifs. Antispasmodique, cette tisane combat aussi les bronchites lorsqu'on y ajoute une quantité égale de thym. Lors de la préparation de ce thé, il faudra bien couvrir le contenant pendant l'infusion pour conserver les principes actifs extrêmement volatils du romarin.

Pris à petite dose, le vin de romarin est fortifiant et stimulant; les personnes sujettes aux palpitations cardiaques profiteront donc grandement de l'effet cordial de ce mélange.

Vin de romarin : Faire macérer de sept à quinze jours, environ 100 grammes de fleurs et de feuilles de romarin dans un litre de vin rouge ou blanc de bonne qualité. Filtrer. Ce vin stimule le système nerveux et s'avère un très bon analgésique contre les maux de tête causés par une circulation trop lente. Il est aussi diurétique.

Teinture de romarin : La teinture de romarin se prépare en laissant macérer 100 grammes de feuilles et de fleurs fraîches dans une tasse de vodka pendant deux semaines. Filtrer et embouteiller. Conserver dans un endroit sombre.

Usages externes : Les bains de romarin font des merveilles; ils stimulent les convalescents, les personnes âgées, les dépressifs et les angoissés. L'infusion des feuilles et des fleurs, à laquelle on ajoute une petite quantité de borax, est considérée comme le meilleur shampooing qui soit, prévenant les pellicules et les dartres du cuir chevelu. L'infusion concentrée sert comme gargarisme, en solution pour les douches vaginales ainsi qu'en friction sur les foulures et les entorses. Les compresses chaudes de romarin sont utiles et efficaces contre les douleurs dues aux rhumatismes.

Onguent de romarin : Je préparais mon onguent de romarin à l'automne à partir de l'huile macérée tout l'été, et à laquelle j'ajoutais, le moment venu, de la gomme de sapin. Mais les années m'ont appris, que le romarin libère mieux ses principes actifs dans le vin et l'alcool. Je prépare donc maintenant l'onguent en ajoutant simplement la teinture, après avoir fondu 400 grammes de cire d'abeille et 100 grammes de gomme de sapin dans 2 1/2 tasses d'huile d'olive. Les deux méthodes sont toutefois efficaces.

Conserve de romarin : On peut conserver les rameaux fleuris fraîchement cueillis en les fouettant dans trois fois leur poids de sucre à l'aide d'un batteur électrique ou d'un mélangeur. Ce mélange possède les mêmes propriétés que l'infusion.

Eau de la reine de Hongrie (N° 1) :

30 grammes de lavande
30 grammes de romarin
15 grammes de myrique *(Myrica cecifera)*
1 litre de brandy

Faire macérer les herbes pendant 10 jours dans le brandy. Filtrer et embouteiller. Se frictionner à tous les jours avec cette eau vous rendra peut-être, à vous aussi, la jeunesse.

Eau de la reine de Hongrie (N° 2) :

680 grammes de fleurs de romarin
225 grammes de fleurs de menthe pouliot
225 grammes de marjolaine
225 grammes de lavande
3 litres d'eau-de-vie

Faire macérer 24 heures au bain-marie tiède. Distiller au bain-marie très chaud. Prendre un petit verre une à deux fois par semaine, le matin à jeun.

Eau de la reine de Hongrie (N°3) :

680 grammes de romarin frais
4 litres d'esprit de vin

Faire macérer pendant 4 jours et distiller. Frictionner vigoureuse-
ment les parties affectées par la goutte.

Usages culinaires : Nous avons affaire ici à l'une des plus aromatiques des herbes connues, dont on utilise l'exubérante saveur
dans certaines recettes de confitures, de gelées, de biscuits. On
l'ajoute subtilement aux salades de fruits, au cidre; quelques pin-
cées incorporées aux viandes rôties, à l'agneau, aux volailles, au
poisson, leur donneront un goût délicieux. Il n'en demeure pas
moins qu'il faudra l'utiliser avec ménagement, compte tenu de son
odeur résineuse très forte.

Sauce au romarin :

30 grammes de beurre
1 petit oignon émincé
15 grammes de romarin séché, en poudre
30 grammes de farine
1 1/2 tasse (375 ml) de bouillon de poisson, de viande ou de légume
2 c. à soupe de crème sûre

Faire revenir les oignons dans le beurre, jusqu'à ce qu'ils deviennent transparents. Ajouter le romarin, faire revenir. Incorporer la
farine, faire revenir à nouveau et ajouter graduellement le bouillon.
Ajouter enfin la crème sûre, juste avant de servir.

La sauce au romarin ajoute une délicate saveur aux plats de poisson et d'agneau.

Amandes au romarin :

Hors-d'œuvre

1 c. à soupe de beurre ramolli
1 c. à café de romarin émietté
1/2 c. à café de sel
1/4 c. à café de paprika
1 tasse (250 ml) d'amandes

Mélanger le beurre, le romarin, le sel et le paprika avec les amandes. Déposer sur une tôle à biscuits en une seule rangée. Rôtir au four à 180°C (350°F), jusqu'à ce que les amandes soient brunes. Remuer à l'occasion. Servir les amandes chaudes, en apéritif. Les amandes peuvent être réchauffées.

BIBLIOGRAPHIE

Angier, Bradford. Guide des plantes sauvages médicinales, Éditions Broquet Inc., LaPrairie, 1990, 346p.

Boudreault, Michel. *Guide pratique des plantes médicinales du Québec*, Éditions Marcel Broquet Inc., LaPrairie, 1983, 260p.

Culpepper, Nicolas. *Culpepper's Complete Herbal & Physician* Éd. Harvey Sales, 1981, 240p. (édition originale 1826).

Christopher, John R. *Herbal Home Health Care*, Christopher Publications, Utah, (États-Unis), 1984, 198p.

Coutaret, Gerard. *La guérison par les plantes, les légumes et les fruits,* Diffusion Scientifique, Paris, 1969, 240p.

De Baïracli Levy, Juliette. *Herbal Handbook for Farm and Stable,* Rodale Press. Inc. Emmaus, (Pennsylvanie), 1976, 320p.

Dirr, Michael A. *Manual of woody landscape plants*, Stipes Publishing Co., Illinois, 1983, 826p.

Errera, Henry. *L'Herbier magique*, Éd. Belfond, Paris, 1982, 321p.

Fluck, Hans. *Petit guide panoramique des herbes médicinales*, Delachaux & Niestlé, Neuchâtel, (Suisse), 1973, 188p.

Goethe, Johann Wolfgang. *La métamorphose des plantes.* Introduction, commentaires, notes par Rudolf Steiner. Éd. Triades, Paris, 1975, 272p.

Grieve, M. *A Modern Herbal*, vol. 1 et 2, Dover Publications Inc., NewYork, 1971, 888p.

Hay, Roy et **Beckett**, Kenneth A. *Encyclopédie des fleurs et plantes de jardin*, Éd. Sélection du Reader's Digest, Montréal, 1978, 799p.

Hutchens, Alma R. *Indian Herbalogy of North America*, Éd. Merco, Windsor, (Canada), 1973, 382p.

Kloss, Jethro. *Back to Eden*, Back to Eden Books, California, 1982, 684p.

Koechlin de Bizemont, Dorothée et **Granier-Rivière**, Marie-Eglé. *Médecines Douces pour vos enfants*, Éditions du Rocher, Monaco, 1982, 502p.

Küunzle, Jean. *Bonnes et mauvaises herbes : petit manuel pratique des plantes médicinales.* Édition Herboriste Künzle, Suisse, 1975, 88 p.

Loewenfeld, Claire et **Back**, Phillipa. *Herbs, Health and Cookery*, Gramercy Publishing Co., New York, 1965, 320p.

Malcolm, Stuart (ed). *The Encyclopedia of Herbs and Herbalism*, Éd. Classic, Canada, 1979, 394p.

Marie-Victorin. *Flore Laurentienne*, Les Presses de l'Université de Montréal, Montréal, (édition révisée), 1964, 924p.

Medsger, Oliver Perry. *Edible Wild Plants,* Collier-MacMillan Limited, London, 1972, 323p.

Mességué, Maurice. *Mon herbier de santé*, Éd.Laffont/Tchou/Opera-Mundi, Paris, 1975, 334p.

Nissim, Rina. *Mamamelis, Manuel de gynécologie naturopathique à l'usage des femmes*, Éd. Dispensaire des femmes, Genève, 1984, 221p.

Palaiseux, Jean. *Nos grands-mères savaient...*, Robert Laffont, Paris, 1980. 542p.

Reader's Digest. *Guide to creative gardening*, Reader's Digest Ass. Limited, New York, 1984, 384p.

Rose, Jeanne. *Herbs and Things, Jeanne Rose Herbal*, Grosset & Dunlap, Workman Publication Co., New York, 1977, 323p.

Schauenberg, Paul et **Paris**, Fernand. Guide des plantes médicinales, Delachaux & Niestlé, Neuchâtel, (Suisse), 1977, 400p.

Shook, Edward E. *Elementary Treatise in Herbalogy*, Trinity Center Press, Beaumont, (Californie), 1984, 160p.

Steiner, Rudolf. *Agriculture, fondements spirituels de la méthode bio-dynamique*, Éd. Anthroposophique Romandes, Genève, 1977, 401p.

Stewart, Anne Marie et **Kronoff**, Leon. *Eating from the wild*, Ballantine Books, New York 1975, 387p.

Treben, Maria. *Health through God's Pharmacy*, Éd. Ennsthaler, Autriche, 1984, 88p.

Valnet, Jean. *Aromathérapie, traitement des maladies par les essences de plantes*, Éditions Maloine, Paris, 1984, 544p.

Valnet, Jean. *Phytothérapie, traitement des maladies par les plantes*, Éditions Maloine, Paris, 1983, 942p.

LEXIQUE DES TERMES THÉRAPEUTIQUES

Adoucissant : qui calme l'irritation.
Consoude officinale.

Analgésique : qui diminue la douleur.
Lavande, Origan.

Antianémique : qui combat un état de faiblesse générale en favorisant la formation de globules rouges.
Ortie dioïque.

Anti-arthritique : qui combat et soulage l'arthrite.
Estragon.

Antidiabétique : qui combat les symptômes du diabète.
Ortie dioïque.

Antidiarrhéique : qui diminue ou supprime la diarrhée.
Sarriette des jardins.

Anti-infectueux : qui combat l'infection.
Ortie dioïque.

Antifermentatif : qui combat la prolifération des bacilles et des bactéries associées à la fermentation.
Iris versicolore.

Antiputride : qui combat le processus de putréfaction.
Millepertuis, Thym.

Antiphlogistique : qui combat les inflammations.
Mauve musquée, Onagre commune.

Antiseptique : qui prévient ou combat l'infection en détruisant les microbes à l'intérieur ou à l'extérieur de l'organisme.
Marjolaine, Monarde écarlate, Origan, Romarin, Sarriette des jardins, Sauge officinale, Souci officinal, Tanaisie commune, Thym.

Antispasmodique : qui combat les spasmes, les convulsions.
Achillée millefeuille, Angélique officinale, Basilic, Camomille matricaire, Estragon, Lavande, Marjolaine, Mélisse officinale, Onagre commune, Origan, Romarin, Sauge officinale, Souci officinal, Thym.

Antiputride : qui empêche la putréfaction.
Millepertuis.

Antitoxique : qui agit contre un poison ou contre une toxine.
Échinacée pourpre.

Antivomitif : qui combat les vomissements.
Souci officinal.

Apéritif : qui ouvre et stimule l'appétit.
Angélique officinale, Origan.

Aphrodisiaque : qui accroît le désir sexuel.
Sarriette des jardins.

Aromatique : odoriférant, de même nature que les aromates.
Marjolaine, Romarin.

Astringent : qui exerce un resserrement des tissus vivants.
Alchémille commune, Consoude officinale, Molène vulgaire, Onagre commune, Romarin, Sarriette des jardins.

Bactéricide : qui tue les bactéries.
Lavande, Marjolaine, Origan.

Béchique : remède contre la toux.
Angélique officinale.

Calmant : qui apaise et calme.
Camomille matricaire, Marjolaine, Mauve musquée, Onagre commune, Origan.

Capillaire : relatif aux cheveux, à la chevelure.
Achillée millefeuille, Camomille matricaire, Ortie dioïque.

Carminatif : qui a la propriété d'expulser les gaz intestinaux.
Angélique officinale, Basilic, Marjolaine, Mélisse officinale, Monarde écarlate, Origan, Romarin, Sarriette des jardins, Thym.

Cicatrisant : qui favorise et accélère la cicatrisation.
Consoude officinale, Souci officinal.

Cholagogue : qui facilite l'évacuation de la bile.
Iris versicolore, Ortie dioïque, Romarin.

Cholérétique : qui augmente la sécrétion biliaire.
Marjolaine.

Circulation sanguine :
Iris versicolore, Monarde écarlate.

Décongestif : qui atténue ou fait disparaître une congestion.
Alchémille commune.

Dépuratif : qui purifie l'organisme en favorisant l'élimination des toxines, des poisons.
Iris versicolore, Ortie dioïque, Souci officinal.

Diaphorétique : qui active la transpiration.
Angélique officinale, Mélisse officinale, Monarde écarlate, Romarin.

Digestif : qui contribue à la digestion.
Angélique officinale, Estragon, Tanaisie commune.

Diurétique : qui augmente la sécrétion urinaire.
Achillée millefeuille, Angélique officinale, Estragon, Iris versicolore, Lavande, Mauve musquée, Molène vulgaire, Monarde écarlate, Origan, Ortie dioïque, Romarin, Sarriette des jardins, Souci officinal.

Emménagogue : qui provoque ou régularise le flux menstruel.
Achillée millefeuille, Alchémille commune, Angélique officinale, Camomille matricaire, Estragon, Lavande, Monarde écarlate, Origan, Romarin, Souci officinal, Tanaisie commune, Thym.

Émollient : qui a pour effet d'amollir, de relâcher des tissus enflammés.
Mauve musquée, Molène vulgaire, Consoude officinale.

Expectorant : qui aide à rejeter les mucosités ou autres matières qui obstruent les voies respiratoires, les bronches.

Angélique officinale, Consoude officinale, Iris versicolore, Marjolaine, Molène vulgaire, Origan, Sarriette des jardins.

Fébrifuge : qui combat et guérit la fièvre.
Achillée millefeuille, Camomille matricaire, Mélisse officinale.

Galactogogue : qui favorise la lactation chez les nourrices.
Basilic.

Glandulaire : qui a rapport aux glandes.
Sauge.

Hémostatique : qui arrête les écoulements sanguins.
Achillée millefeuille, Ortie dioïque.

Hypertenseur : qui augmente la tension vasculaire.
Sauge officinale.

Insecticide : qui tue et détruit les insectes.
Tanaisie commune.

Laxatif : purgatif léger.
Mauve musquée.

Parasiticide : qui tue les parasites.
Origan.

Pectoral : qui combat les affections pulmonaires, bronchiques.
Mauve musquée.

Préventif : qui tend à prévenir le développement des maladies.
Angélique officinale.

Relaxant : qui détend, repose tant physiquement qu'intellectuellement.
Millepertuis.

Révulsif : qui produit un afflux sanguin dans une région déterminée de manière à décongestionner ou à diminuer l'inflammation.
Ortie dioïque.

Rubéfiant : qui produit une congestion cutanée passagère.
Thym.

Sédatif : qui calme et modère l'activité nerveuse, tout en favorisant le sommeil.
Alchémille commune, Basilic, Camomille matricaire, Marjolaine, Mélisse officinale, Onagre commune, Origan.

Stimulant : qui augmente l'activité, les fonctions organiques.
Angélique officinale, Estragon, Lavande, Monarde écarlate, Romarin, Sarriette des jardins, Sauge officinale, Souci officinal.

Stomachique : qui est salutaire à l'estomac et facilite la digestion gastrique.
Angélique officinale, Basilic, Camomille matricaire, Estragon, Origan, Romarin, Sarriette des jardins.

Sudorifique : qui provoque une abondante transpiration.
Camomille matricaire, Échinacée pourpre, Molène vulgaire, Souci officinal.

Tonique : qui fortifie, reconstitue les forces.
Achillée millefeuille, Alchémille commune, Angélique officinale, Camomille matricaire, Consoude officinale, Romarin, Thym.

Topique : qui agit sur un point déterminé du corps.
Millepertuis.

Vasoconstricteur : qui diminue le calibre d'un vaisseau par contraction de ses fibres musculaires.
Ortie dioïque.

Vermifuge : qui provoque l'expulsion des vers intestinaux.
Achillée millefeuille, Estragon, Lavande, Sarriette des jardins, Tanaisie commune, Thym.

Vulnéraire : qui guérit les blessures, les plaies.
Alchémille commune, Consoude officinale, Millepertuis.

RECETTES PRATIQUES

INDEX

—